L'épicerie

Le plaisir de faire les bons choix

L'épicerie
Le plaisir de faire les bons choix

© 2015 Les Éditions Caractère Inc.

Avec l'accord de *L'épicerie* et de Radio-Canada

La marque de commerce «Radio-Canada» est la propriété de la Société Radio-Canada et est utilisée dans le présent ouvrage avec son accord.

Coordination éditoriale : Sophie Aumais
Révision linguistique : Johanne Girard
Correction d'épreuves : Cynthia Cloutier-Marenger
Conception graphique et conception de la couverture : Julie Deschênes
Infographie : Suzanne Vincent

Sources iconographiques

Couverture et photos du camion de *L'épicerie* **:** Société Radio-Canada
Intérieur : shutterstock.com

5800, rue Saint-Denis, bureau 900
Montréal (Québec) H2S 3L5 Canada
Téléphone: 514 273-1066
Télécopieur: 514 276-0324 ou 1 800 814-0324
caractere@tc.tc

ISBN: 978-2-89742-095-6 (version papier)
ISBN: 978-2-89742-175-5 (version PDF)

Dépôt légal: 3e trimestre 2015
Bibliothèque et Archives nationales du Québec
Bibliothèque et Archives Canada

Imprimé au Canada

1 2 3 4 5 M 19 18 17 16 15

Nous reconnaissons l'aide financière du gouvernement du Canada par l'entremise du Fonds du livre du Canada (FLC) pour nos activités d'édition. Gouvernement du Québec – Programme de crédit d'impôt pour l'édition de livres – Gestion SODEC.

Sylvie Dô
Avec la collaboration de
l'équipe de *L'épicerie*

L'épicerie

Le plaisir de faire les bons choix

Introduction

· · ·

Vous l'aurez remarqué, votre magazine hebdomadaire *L'épicerie* a subi depuis deux ans une cure de rajeunissement. Une nouvelle image aux couleurs acidulées, une musique accrocheuse qu'on a envie de fredonner, des images léchées sur fond blanc, un camion tout neuf qui nous amène chaque semaine à votre rencontre. Mais ce qui n'a pas changé depuis la création de cette belle émission en 2002, c'est le plaisir sans cesse renouvelé que nous avons à promouvoir une saine alimentation.

À l'automne 2015, nous entamons notre quatorzième saison, et notre mission est toujours la même : diffuser une information crédible, rigoureuse, objective et indépendante. Avec pour seul intérêt votre bien-être et votre santé.

Mais la santé n'exclut pas pour autant le plaisir de manger et de faire des découvertes. C'est pourquoi nous vous offrons avec bonheur notre troisième livre : *Le plaisir de faire les bons choix.*

Comme on adapte un roman au cinéma, nous avons choisi d'offrir dans ce livre, à la fois ludique et éclectique, un condensé de nos reportages et enquêtes des trois dernières années. Aliments, tendances et découvertes, conseils de nutrition, cuisine du monde, consommation, produits vedettes, vous pourrez y naviguer selon vos centres d'intérêt.

J'aimerais remercier l'auteure, Sylvie Dô, et tous les journalistes, réalisateurs et techniciens de *L'épicerie* qui contribuent avec générosité et talent, semaine après semaine, à cette émission phare. Merci à mes deux animateurs, Johane Despins et Denis Gagné. J'apprends chaque jour à vos côtés. Merci à Isabelle, mon assistante, et à Alain Kemeid, notre rédacteur en chef.

Enfin, merci à tous nos fidèles téléspectateurs, à qui je souhaite bonne lecture et bonne épicerie!

Mireille Ledoux
Réalisatrice-coordonnatrice de *L'épicerie*

Valeur nutritive
par 1 tasse (55 g)
quotidien
CITRON
4033/4094
calories

1

Aliments

...

Les oignons

• • •

Jaune, blanc, rouge ou espagnol, l'oignon fait partie des aliments de base du garde-manger des Québécois. Et nous en produisons beaucoup : en moyenne 60 000 tonnes par année, soit 5 fois plus que nous en mangeons!

À chaque oignon son plat!

Que l'oignon soit cuit, cru ou mariné, il sert d'aromate dans bien des plats. Il en existe de toutes sortes de couleurs, des petits ou des gros, des forts ou des sucrés : autant de déclinaisons qui ne manquent pas de piquant!

Oignon rouge : C'est le plus sucré. Délicieux cru, il ajoute de la saveur et de la couleur aux plats. Cuit, il perd de son éclat et devient plus fade.

Oignon jaune : Le plus connu de tous. Son goût est prononcé et il se prête bien aux longues cuissons. C'est celui qui se garde le plus longtemps. On l'appelle aussi oignon sec. Sa récolte commence au mois d'août. D'abord juteux et doux, en vieillissant, il s'assèche et devient plus fort au goût.

Oignon blanc : Le plus doux de la famille! Il est parfait pour le confit et les confitures d'oignons. Il se conserve moins longtemps que l'oignon jaune.

Oignon espagnol : Il est juteux, plus doux et plus sucré que l'oignon jaune. C'est le plus gros des oignons. Il peut se manger cru, mais il se prête aussi très bien aux cuissons brèves.

Oignon vert : Au Québec, on l'appelle aussi échalote verte. Il est le plus petit de la famille des oignons. Son goût est doux. Il ne se conserve pas longtemps.

Échalote : Sa saveur est plus parfumée et plus subtile que celle de l'oignon. L'échalote est idéale dans les sauces et les vinaigrettes.

Oignon Cipollini : C'est un petit oignon plat en forme de bouton. Il a une délicate saveur de noisette, légèrement sucrée. À utiliser en cuisson ou pour les marinades.

Oignon Vidalia : Il a une saveur sucrée et légèrement piquante. Il se consomme cru, en salade. Cet oignon est originaire de l'État de la Géorgie, aux États-Unis.

Oignon perlé : Petit, cet oignon a un goût doux et délicat. On l'utilise entier dans les marinades, mijoté ou rôti. Il conserve sa forme à la cuisson. L'oignon perlé, ou grelot, est généralement importé des États-Unis et ensaché au Québec.

Pour éviter les larmes

C'est le soufre, surtout concentré à la racine de l'oignon, qui irrite les yeux et nous fait pleurer. Une fois l'oignon coupé, le soufre s'échappe sous forme de gaz. Au moment de l'apprêter, tranchez-le franchement, sans le déchirer, ou laissez la racine intacte : vous réduirez ainsi le larmoiement et ressentirez moins d'irritation aux yeux. Un autre truc : réfrigérez l'oignon 30 minutes avant de le couper.

Cultivés chez nous

Au Québec, on cultive des oignons de jour long, c'est-à-dire qui poussent pendant les saisons où la durée du jour est plus longue que celle de la nuit (printemps, été). Il s'agit principalement d'oignons jaunes, vendus à l'année en épicerie. Les rouges, quant à eux, sont offerts en général jusqu'en février; ensuite, on doit en importer.

Les autres variétés d'oignons sont de jour court. Elles sont cultivées dans les régions dont le climat est doux pendant les saisons où la durée du jour est plus courte que celle de la nuit.

La conservation

L'oignon se conserve en moyenne un mois après l'achat. Il est préférable de le ranger dans un endroit frais et sec, car au réfrigérateur, il germe plus facilement en raison de l'humidité. Les premiers oignons de la saison ont une pelure moins épaisse et se conservent moins longtemps. L'oignon jaune est celui qui se garde le plus longtemps, jusqu'à six mois!

Truc de L'épicerie

Pâte de tomates éternelle

Bien des recettes de sauces ou de trempettes réclament une toute petite quantité de pâte de tomates pour la couleur et le goût. Vous avez le choix entre de la pâte en tube ou en conserve, beaucoup moins chère. Mais le reste risque de moisir assez vite. À moins que?... Posez un papier ciré sur une plaque : faites des quenelles de pâte de tomates avec deux cuillères à soupe. Congelez une heure, puis gardez en papillotes dans un grand sac de congélation. Vous pourriez aussi faire usage de bacs à glaçons, mais la tomate, ça tache! Congelez de la même façon du beurre assaisonné à l'ail, aux herbes, aux olives et au zeste de citron ou aux épices. De quoi insuffler une touche de saveur à tous vos plats!

Les olives

• • •

On en remarque une offre grandissante dans les épiceries, en pot, en conserve ou en vrac. Comment s'y retrouver parmi cette abondance?

Les anciennes civilisations grecque et romaine vénéraient l'olive, mais utilisaient davantage son huile que le fruit lui-même, entre autres pour ses vertus thérapeutiques. L'olive se cuisine bien, servie froide en salades, ou chaude dans les tajines, les pâtes ou les pizzas, par exemple.

Les variétés

Il existe au moins 300 variétés d'olives. On peut comparer ces variétés aux différents cépages pour le vin, passant des plus fruitées aux plus amères. On reconnaît deux pays producteurs, l'Espagne et l'Italie, loin devant tous les autres. À eux seuls, ils représentent 50 % de la production mondiale d'olives. Puis viennent le Maroc et la Grèce. On trouve aussi des oliveraies au Proche-Orient, aux États-Unis, en Amérique latine et en Afrique du Nord, là où le climat est le même que dans le bassin méditerranéen.

Chaque région a ses variétés de prédilection, en fonction entre autres de son climat. Par exemple, en Grèce, on parle de la Kalamata ou de la Koroneiki. En Espagne, la Manzanilla est l'olive de table la plus populaire, alors qu'en Italie, la Coratina est très prisée.

Avant de manger l'olive...

Le fruit, à quelques exceptions près, ne peut être mangé tout de suite après avoir été cueilli. L'olive est une drupe (un fruit charnu à noyau) qui contient un principe amer, l'oleuropéine, une faible teneur en sucre (de 2,6 à 6 %), contrairement aux autres drupes qui atteignent 12 % ou plus, et une forte teneur en huile (de 12 à 30 %), selon l'époque et la variété.

Voilà pourquoi il faut soumettre les olives à des traitements qui diffèrent considérablement d'une région à l'autre et dépendent également de la variété des fruits. On parle de traitements à l'hydroxyde de soude ou de potasse, de saumure ou de lavages successifs.

La couleur des olives

L'olive change de couleur selon son degré de maturation, allant du vert clair au violet, du kaki au chocolat ou au noir charbon.

Il existe une méthode pour forcer le mûrissement des olives : typique des olives plus commerciales, elle permet un mûrissement au bout de 21 jours au lieu des 3 mois habituels. Cette méthode dite «californienne» oxyde le fruit au gluconate de fer; elles deviennent noires, mates, uniformes et sont moins coûteuses. Mais elles y perdent en goût...

Valeur nutritive

À l'origine, l'olive est une bonne source de fer, de vitamine E et de vitamine K. Par contre, les produits en conserve perdent de leur valeur nutritive.

La conservation

En théorie, l'olive, tant qu'elle est recouverte de sa marinade, peut se conserver quelques semaines au réfrigérateur. À température ambiante toutefois, elle change de couleur et se flétrit au bout de trois jours, puis moisit en une semaine.

Le pesto

• • •

Rien ne vaut le pesto qu'on prépare soi-même au moment des récoltes de basilic et d'ail. Néanmoins, ce populaire condiment a trouvé sa place sur les tablettes de l'épicerie. Comment le choisir?

Le pesto, c'est quoi?

C'est un condiment italien préparé principalement à base de basilic, d'ail, de pignons de pin, de parmesan et d'huile d'olive. D'ailleurs, le mot pesto vient de *pestare* en italien, qui veut dire piler. On se sert du pesto pour napper des pâtes, aromatiser des soupes ou pour accompagner différents aliments. Les historiens s'accordent pour dire que le pesto tire son origine des cuisines perse et de l'ancienne Rome. À l'époque, on pilait déjà dans des mortiers des herbes mélangées avec de l'huile pour en faire des condiments.

La tradition européenne

Le pesto traditionnel est sans contredit celui de Gênes, en Italie. En France, la sauce pistou est un dérivé du pesto, mais ne contient pas de noix de pin et pas nécessairement de fromage.

On le prépare à l'aide d'un mortier, en prenant son temps. Néanmoins, en quelques pulsations de robot culinaire, on peut le produire plus rapidement.

Pour l'apprêter *alla genovese*, on choisit des feuilles de basilic frais (pas les branches). On les lave et on les laisse sécher sur un linge. Il faut éviter de trop les manipuler parce qu'elles noircissent facilement. On ajoute de la marjolaine fraîche, du sel et de l'ail. Puis de l'huile et du citron. On pourrait s'en servir seulement sur une salade ou une entrée de fromages frais tels la mozzarella ou les bocconcinis.

Mais si on ajoute des noix de pin, tout en continuant de piler, on obtient une texture plus épaisse qui permet de napper des pâtes, par exemple. À la fin, on ajoute du pecorino râpé ou du parmesan.

Conserver son pesto

Congelez-le en petits cubes en ajoutant un peu d'huile d'olive sur le dessus, pour éviter qu'il s'oxyde.

Sur les tablettes

Les pestos qu'on trouve sur le marché contiennent bien certains ingrédients du pesto traditionnel, mais aucun n'en est du véritable. Probablement pour une question de coût! En effet, selon l'évaluation de *L'épicerie*, le basilic est souvent remplacé par du persil ou de la coriandre. On trouve de l'huile de canola plutôt que de l'huile d'olive. Pas de fromage, et les coûteuses noix de pin sont remplacées par des noix de cajou. Et ces produits sont salés : mieux vaut rechercher ceux qui, pour 30 ml, contiennent moins de 120 mg de sodium.

Les poivres...

S'il est une épice vieille comme le monde
et sans conteste la plus répandue, c'est bien le poivre.
Mais le connaît-on vraiment?

Le poivre est une épice connue depuis plus de 4 000 ans. Dans l'Antiquité, il servait d'offrande aux dieux romains. Au Moyen Âge, sa valeur équivalait à celle de l'or. La richesse d'un homme se mesurait alors à ses stocks de poivre. Cette épice rehaussait le goût des aliments et était fort utile pour masquer le manque de fraîcheur de la viande faisandée.

De nos jours, le poivre représente à lui seul un quart du commerce des épices à l'échelle mondiale. C'est donc l'un des ingrédients les plus utilisés dans nos recettes. Au fil des années, une diversité de poivres est apparue sur le marché. Seul ou combiné à d'autres épices, il rehausse la saveur des ragoûts de viande, des steaks, des sauces… jusqu'aux desserts!

Les variétés

Cette épice est le fruit du poivrier, une vigne principalement cultivée en Inde et dans le Sud-Est asiatique. Composé d'huiles essentielles (arôme), de résine et de pipérine (piquant), le poivre tire son goût intense de son écorce.

Et contrairement aux idées reçues, les différentes variétés n'en forment qu'une, appelée *Piper nigrum*. Les grains, qui se présentent en grappes, proviennent tous de la même plante; c'est seulement leur degré de maturité au moment où ils sont cueillis qui influence la couleur, qu'ils soient noirs, rouges, blancs ou verts.

Le poivre **noir** est le plus populaire d'entre tous. Il est récolté juste avant sa maturité. Sous l'effet d'un soleil intense, les grains sèchent, se rident et noircissent. Noir, il est plus piquant et plus aromatique. Quand il est **rouge**, il a atteint sa complète maturité; mais il est plus rare. Pour ce qui est du poivre **blanc**, on lui retire son écorce avant de le sécher, d'où sa couleur blanche; il est plus doux que les autres et convient très bien aux sauces légères comme la béchamel ou la mayonnaise. En revanche, le poivre **vert**, qui a été cueilli avant maturité, est plus fruité et plus parfumé. Il est parfait avec les viandes.

faux poivres

D'autres petites graines s'appellent poivre aussi, tels le poivre de Sichuan et le poivre rose, une baie provenant de La Réunion et également cultivée à Madagascar. Pourquoi «faux»? Parce qu'ils ne poussent pas sur des vignes de poivriers. En cuisine, par contre, ils jouent le même rôle.

Par ailleurs, l'intensité du poivre peut dépendre de la forme de la plante dont il est issu. Par exemple, les cubèbes d'Indonésie sont très parfumés, tandis que le poivre long est moins fort. La grosseur du grain est aussi un indicateur de son intensité. Plus il est gros, plus il a du goût et du piquant.

Comment conserver sa fraîcheur?

Il est préférable d'utiliser du grain de poivre entier et de le moudre à la dernière minute, car il s'évente très rapidement. Lors de l'achat, choisissez des grains lourds, solides et de couleur uniforme. Le poivre en grains se conserve environ un an. Gardez-le dans un sachet fermé hermétiquement, de préférence dans un endroit frais et sec. Pour sa part, le poivre moulu perdra sa saveur au bout de trois ou quatre mois.

Ses caractéristiques

Non seulement son odeur enchante, mais le poivre ouvre aussi l'appétit! Il augmente en effet les sécrétions salivaires qui stimulent la production de sucs gastriques. On le dit tonique, stimulant et antibactérien. Un inconvénient? Le poivre moulu peut irriter les yeux, le nez et les voies respiratoires, tout comme les piments forts.

 Truc de L'épicerie

Conservation des fines herbes fraîches

Comment mieux conserver vos fines herbes fraîches? Une fois qu'elles ont été lavées, placez-les dans un papier absorbant, au frigo; elles se conserveront une semaine. À plus long terme, l'estragon peut être séché et la ciboulette se congèle bien au naturel. Basilic, coriandre et persil? Hachez finement au robot, recouvrez d'huile d'olive et congelez cette pommade dans un bac à glaçons. Vous n'aurez alors qu'à en ajouter des portions sur vos pâtes ou dans un potage, par exemple. Vous pouvez aussi les faire à l'eau, mais les saveurs seront un peu moins concentrées.

Les rehausseurs de goût

• • •

Glutamate, protéines de soya hydrolysées, extraits de levures, inosinates et guanylates, bienvenue dans le monde des rehausseurs de goût!

Vous avez certainement déjà lu ces noms étranges dans la longue liste d'ingrédients des produits alimentaires transformés vendus en épicerie. Ce sont des rehausseurs de goût, des ingrédients qu'on ajoute à un aliment pour nous permettre de le goûter davantage.

Les aliments frais sont, sans équivoque, les plus savoureux. Dès qu'on leur fait subir une transformation, que ce soit en les cuisant à haute température ou en les stérilisant, leur saveur originelle se trouve modifiée, parfois même altérée. Et puisque les consommateurs demandent de plus en plus de produits réduits en sel et en gras, et que ces deux éléments ajoutent beaucoup de saveur aux aliments, l'industrie doit se tourner vers des rehausseurs de goût.

Comment ces ingrédients agissent-ils? En fait, ce n'est pas l'aliment lui-même qui devient plus savoureux, mais notre système gustatif qui est modifié. Les rehausseurs de goût augmentent la salivation; avec davantage de salive, on peut extraire plus de composés chimiques agréables au goût.

Certains scientifiques croient plutôt que les rehausseurs de goût stimulent les nerfs, les récepteurs sensoriels qui se trouvent sur la langue. C'est ainsi qu'on percevrait les saveurs d'une façon plus intense.

Chimiques?

Le plus courant des rehausseurs est le glutamate monosodique. Il existe depuis au moins une centaine d'années. Ce qui rehausse le goût, c'est l'acide glutamique, un acide aminé, c'est-à-dire une composante des protéines. Contrairement à ce qu'on pourrait penser, le glutamate n'est pas chimique. On en trouve naturellement dans plusieurs aliments, comme les tomates mûres, le parmesan, les raisins, les pommes de terre, les champignons et les algues. La fermentation permet de libérer le glutamate, et c'est là qu'il exerce son effet sur le goût. Voilà pourquoi les aliments qui sont fermentés ou qui sont vieillis, par exemple le fromage parmesan, sont aussi riches en glutamate.

Le glutamate monosodique est du glutamate placé dans du sel, qui agit comme transporteur. Il permet de rehausser toutes les composantes du goût, l'amer, le sucré, le salé et l'acide. L'effet de tous ces goûts ensemble s'appelle umami. L'umami vient du mot japonais *uma*, qui veut dire délicieux, et de *mi,* qui signifie goût.

Risques du GMS pour la santé?

L'innocuité du glutamate monosodique (GMS) a fait l'objet d'examens réalisés par des scientifiques et par des autorités réglementaires à l'échelle mondiale, indique-t-on dans le site de Santé Canada. Par contre, on reconnaît que chez certaines personnes, la consommation de GMS peut provoquer des réactions de type allergique ou une réaction d'hypersensibilité; on l'appelle souvent la réaction du restaurant chinois.

Ces personnes peuvent avoir une sensation de brûlure, de pression faciale, ressentir des maux de tête, des nausées et des douleurs thoraciques, par exemple. Ces effets se manifestent environ vingt minutes après la consommation pour disparaître quelque deux heures plus tard. Symptômes qui ressemblent à ceux d'une crise cardiaque!

Mais ce genre de réactions est vraiment très rare, presque anecdotique, et l'on ne peut pas l'expliquer. Les autres rehausseurs ne causent pas d'effets de ce type. À vous de décider si vous avez envie d'en consommer.

D'autres rehausseurs dans la nature

Il existe d'autres types de rehausseurs d'origine naturelle : les inosinates et les guanylates, qui sont aussi associés au goût umami. Les inosinates ont été isolés d'un poisson, le bonito, qui provient de la famille des thons. C'est un poisson asséché, donc vieilli. Les guanylates, quant à eux, sont issus des champignons, surtout les shiitakes.

Les protéines végétales hydrolysées et les extraits de levures agissent également comme rehausseurs de goût. Les protéines végétales hydrolysées sont créées à partir d'une molécule de protéine, comme une protéine de blé, de maïs ou de soya, qu'on hydrolyse, c'est-à-dire qu'on réduit en plus petites parties. Les extraits de levures, pour leur part, proviennent de la levure de bière ou de la levure de boulanger.

L'industrie peut utiliser n'importe quel rehausseur, voire en combiner plusieurs dans un même aliment. Par exemple, *L'épicerie* a acheté au supermarché un pâté chinois qui en contenait quatre : du glutamate monosodique, de l'inosinate, du guanylate et des protéines végétales hydrolysées. Tous ces rehausseurs travaillent en synergie dans un seul but : relever les saveurs. Dans la majorité des cas, on les trouve à la fin de la liste des ingrédients. Et comme les ingrédients sont inscrits en ordre décroissant de volume, cela signifie qu'on ajoute vraiment une toute petite quantité de ces rehausseurs de goût.

Les aromatisants pour l'eau

...

En bouteille, gazéifiée, aromatisée, vitaminée :
l'eau se décline de plusieurs façons sur les
tablettes des épiceries. S'ajoutent à cette offre
des aromatisants pour l'eau.

L'eau est insipide. Or on se fait répéter sans cesse qu'il faut en boire beaucoup tous les jours. Mais il y a de ces gens qui n'aiment pas en consommer. Les fabricants l'ont compris et ont mis sur le marché des aromatisants destinés à rendre l'eau plus attrayante.

À quoi ça sert?

Les aromatisants colorent, sucrent et ajoutent une saveur *punchée* à l'eau. On s'en doute, ces additifs ne sont d'aucun intérêt nutritionnel. Purs produits du marketing, ils présentent quand même quelques attraits : conçus pour être transportés facilement, ils peuvent être ajoutés à l'eau en plus ou moins grande quantité, au goût de chacun. Même les épiciers voient des avantages à ces produits, puisqu'ils occupent peu d'espace sur les tablettes.

Trois types d'aromatisants se trouvent sur le marché :
• Les produits sucrés avec du vrai sucre;
• Les produits sucrés avec des édulcorants (aspartame, acésulfame de potassium, sucralose et néotame);
• Les produits qui contiennent un mélange de sucre et d'édulcorants.

Leur point commun? Un goût extrêmement sucré. Leur défaut? Ils nous font peut-être consommer plus d'eau, mais aussi des calories. Et, malheur! ils entretiennent notre habitude du sucré.

Y a-t-il des différences entre les produits? Les ingrédients, la saveur et le prix. Mais surtout la teneur en sucre. Donc vérifiez les étiquettes.

Si, malgré tout, ces aromatisants vous conviennent, rien ne vous empêche de les diluer encore plus que ce que recommandent les fabricants!

Aromatiser soi-même et sans calories

Voici une façon de redécouvrir le plaisir de boire de l'eau sans ajouter des calories. Pourquoi ne pas l'aromatiser avec une tranche de lime, d'orange ou de citron? Vous pouvez pousser l'expérience des saveurs encore plus loin en utilisant, par exemple, des herbes de votre choix ou en laissant macérer un sachet de thé ou de tisane.

Quelques idées qui valent le détour : des tranches de concombre avec de la menthe fraîche. Ou bien ananas et romarin frais. Vous n'avez qu'à insérer le romarin et les ananas dans une bouteille d'eau. Pour une saveur optimale, laissez mariner toute la nuit. Sinon, agitez la bouteille pour accélérer le processus. Pour les plus audacieux, un mélange de fraises, basilic frais et poivre rose ravira les sens!

Et que diriez-vous d'aromatiser votre eau avec du melon d'eau et de la menthe? Écrasez les ingrédients, comme pour faire un mojito, en ajoutant un peu de sucre cette fois. Diluez le tout, et voilà!

L'eau de coco

...

Les stars l'ont adoptée et les sportifs vantent ses mérites.
Mais les vertus que l'industrie prête à l'eau de coco
sont-elles à la hauteur de sa réputation?

Sous les tropiques, on aime se désaltérer à même les jeunes noix de coco, car elles regorgent d'une eau limpide et rafraîchissante. En Amérique du Nord, c'est en bouteille, en brique ou en cannette qu'on savoure cette eau de coco. La quarantaine de marques qui inondent nos tablettes se sont lancées dans ce «juteux» marché à grand renfort de vedettes et d'athlètes.

Qu'est-ce exactement?

L'eau de coco est le liquide qu'on extrait de jeunes noix de coco. Elle est claire et limpide, contient du sucre naturel et des sels minéraux, appelés électrolytes, et un petit peu de protéines lorsqu'il y a de la pulpe ajoutée à la boisson.

Pour les sportifs?

Quand on pratique une activité sportive intense, on sue et on perd des sels minéraux. Or un des arguments de vente de l'eau de coco est d'être riche en électrolytes. De fait, c'est une bonne source de potassium, ce qui est très important pour faciliter la contraction musculaire. Malheureusement, ce n'est pas le potassium qu'on perd dans la sueur, mais le sodium, et il y en a très peu dans ces produits. De plus, le potassium se trouve facilement dans plusieurs aliments du quotidien.

Perte de poids?

Une autre vertu attribuée à l'eau de coco est de contribuer à la perte de poids. Difficile de voir comment, car elle contient des glucides. Certaines eaux de coco du commerce sont additionnées de saveurs et de sucre, parfois plus que dans une boisson gazeuse! Mieux vaut consommer de l'eau, exempte de calories, quand notre objectif est de maigrir.

Les sources de potassium

Selon Santé Canada, on devrait consommer environ 4 700 mg de potassium par jour. Les eaux de coco en contiennent parfois de bonnes quantités : en moyenne 440 mg par portion, soit autant qu'une banane ou une tomate. Et les haricots blancs en sont une incroyable source, soit 1 000 mg par portion, tout comme la pomme de terre avec la pelure, qui en contient 900. En consommant des fruits et légumes quotidiennement, on répond non seulement à nos besoins en potassium, mais aussi en d'autres nutriments. Par exemple, un verre de lait de vache fournit environ 300 mg de potassium, plus du calcium, du phosphore, du magnésium, des protéines et des glucides.

Le lait de coco

Le lait de coco est fabriqué à partir de la pulpe de cette même noix qui, une fois broyée, pressée et filtrée, donne un liquide blanc et opaque. Il est donc plus crémeux, mais aussi plus gras que l'eau de coco. Sa teneur en gras varie selon qu'on l'a dilué ou non avec de l'eau. On le trouve souvent en conserve. Mais attention, on y a parfois ajouté du sucre et des épaississants comme la gomme de guar.

La limonade

...

Elle fait le bonheur des petits et des grands depuis des générations. Même si l'on en trouve une grande variété sur le marché, la meilleure sera toujours celle préparée à la maison!

Cette boisson d'été est née au XVIIᵉ siècle, à Paris. À l'époque, on voyait des commerçants se promener dans les rues, une citerne sur le dos; c'étaient les limonadiers, qui servaient aux passants assoiffés de la limonade composée uniquement d'eau, de sucre et de citrons pressés. Au fil du temps, on a ajouté du pétillant à la boisson pour donner l'impression d'une plus grande fraîcheur en bouche. L'arrivée des boissons gazeuses nord-américaines, comme le Sprite et le 7UP, a en quelque sorte dénaturé le côté traditionnel de la limonade : c'est comme si nous avions oublié son vrai goût.

Une boisson santé?

Parce qu'elle est préparée à base de citrons, la limonade est entourée à tort d'une aura santé. D'une part, comme la quantité de citrons qu'elle contient est minime, son apport en vitamine C l'est aussi. D'autre part, elle est souvent additionnée d'une grande quantité de sucre pour contrer son côté très acidulé.

Les limonades du commerce

Ces boissons contiennent souvent deux fois plus de sucre que la version préparée à la maison. Certaines n'ont même aucune trace de citron, mais plutôt des arômes artificiels de l'agrume, de l'acide ascorbique et des colorants.

Limonade ou citronnade?

On a tort de confondre ces deux boissons que seules les bulles distinguent. La limonade contient de l'eau pétillante, tandis que la citronnade est faite d'eau plate. Dans la recette de limonade maison (ci-dessous), conservez les mêmes proportions de sucre et de citron, mais versez de l'eau plate pour obtenir une citronnade.

Limonade maison

Dans un pichet, commencez par dissoudre 30 g de sucre dans 30 ml de jus de citron. Versez ensuite 355 ml d'eau pétillante neutre (l'équivalent d'une cannette) et remuez doucement pour ne pas détruire les bulles. Mettez-y beaucoup de glaçons et parfumez au goût avec un sirop de fruit comme la grenadine. Mais n'oubliez pas que vous ajoutez ainsi du sucre à votre boisson.

La feuille de brick et la pâte filo

• • •

L'une est ronde, l'autre est carrée, mais les deux enveloppent de délicieuses garnitures comme un papier d'emballage qui se mange! Découvrez la feuille de brick et la pâte filo.

Depuis plusieurs années, aux pâtes feuilletées et brisées s'ajoutent des pâtes légères et aériennes aux multiples possibilités : la feuille de brick et sa cousine, la pâte filo. Vous les trouverez au rayon des produits surgelés ou réfrigérés, à prix modique.

On les fourre de diverses garnitures salées ou sucrées, et on replie la pâte en forme de carré, rectangle, triangle, ballotin, aumônière, pastilla, bref, c'est selon notre créativité! En badigeonnant ces chaussons de beurre fondu (idéalement clarifié) ou d'huile, on leur donne un croustillant fort apprécié; si on les enduit de jaune d'œuf battu, ils prennent une jolie couleur dorée.

La feuille de brick

Originaire du sud du bassin méditerranéen (Maroc, Algérie, Tunisie), la feuille de brick, appelée *ouarka* au Maroc, est apparue avec les cultures nomades. Elle est préparée avec de la farine, de la semoule de blé, de l'eau et de l'huile de tournesol. Les feuilles de brick sont parfaites pour toutes les spécialités nord-africaines, comme les doigts de la mariée ou encore les cigares. On peut aussi les utiliser pour préparer une foule de recettes salées ou sucrées comme les samosas, les rouleaux de printemps ou la pastilla, une sorte de tourte marocaine. Elles servent également à tapisser des fonds de tarte ou de quiche.

Quelques précautions à prendre

- Mieux vaut préparer la garniture et la refroidir avant de sortir la pâte ou les feuilles de leur emballage, car elles ont tendance à sécher rapidement.

- Une garniture trop liquide ou trop lourde fera céder la pâte.

- Les feuilles de brick et de pâte filo se conservent six mois au congélateur et un mois dans le bas du frigo. Mais une fois le paquet ouvert, il ne faut pas tarder à les utiliser. On peut les ranger dans un sac hermétique avec un linge humide.

- La pâte filo ne se cuit qu'au four, tandis que la feuille de brick se cuit au four, à la poêle et en friture.

Les farces

On peut substituer la pâte filo à la feuille de brick pour envelopper tous les types de garnitures imaginables, car ces deux produits se travaillent de manière semblable. Parmi les farces les plus populaires : viandes hachées aux aromates, volaille, jambon, légumes râpés ou coupés en dés, œufs, fromages frais et herbes. En version sucrée : miel, fruits secs, pâte d'amandes sont un régal.

La pâte filo

Cette pâte souple et soyeuse est originaire de l'est du bassin méditerranéen (Liban, Grèce, Turquie). Le mot filo vient du grec *phyllo*, qui signifie feuille. Elle est préparée à partir de farine blanche, d'huile, de sel et d'eau. La pâte est étirée mécaniquement jusqu'à ce qu'elle devienne aussi mince que du papier. De ce fait, elle est très fragile. Puis, elle est coupée en feuilles individuelles.

Dans les cuisines grecque, turque ou des Balkans, on l'utilise dans de nombreux hors-d'œuvre et plats principaux, mais aussi dans des pâtisseries comme les baklavas ou les *böreks* albanais. Dans la cuisine germanique, les pâtisseries à la pâte filo sont appelées strudels.

  Truc de L'épicerie

Gingembre congelé râpé ou pressé

On a toujours trop de gingembre, et il risque vite de se déshydrater. Placez le surplus dans un sac de plastique au congélateur. Il restera frais et sera plus facile à éplucher et à râper. Le gingembre peut aussi donner son jus, surtout après avoir été congelé et réchauffé. À l'aide d'un presse-ail, exprimez le nectar de cette délicieuse racine pour en parfumer un sauté asiatique ou une vinaigrette au soya, au mirin et au yuzu.

La galette des Rois

• • •

Douze jours après Noël, jour de l'Épiphanie, la galette des Rois s'invite à notre table. Si la tradition de «tirer les rois» est surtout célébrée en France, chez nous elle fait tranquillement sa place.

Comme beaucoup de traditions européennes, celle de «tirer les rois» le jour de l'Épiphanie rappelle celle des Saturnales romaines, un festival se déroulant au début de janvier en l'honneur de Saturne, dieu de l'abondance et de la prospérité. En l'espace d'une journée, l'un des esclaves arborait un statut de maître et dirigeait toute la maisonnée. Durant les jours suivants, les banquets s'enchaînaient et toutes les normes sociales étaient abolies pendant un temps. Dans cet élan festif, les Romains se servaient de fèves de haricot cachées dans une galette comme de bulletins de vote pour l'élection du roi et de la reine du festin!

L'Église s'est inspirée de cette fête païenne pour en faire une célébration religieuse le 6 janvier. Elle marque l'arrivée des Rois mages à Bethléem pour honorer Jésus l'Enfant-Dieu en lui offrant leurs présents. Jadis, on partageait la galette en autant de parts qu'il y avait de convives, sans oublier la dernière : la «part du pauvre», destinée au premier pauvre qui se présentait au logis.

Le rituel de la fête

De nos jours, bien qu'il existe des variantes de la tradition, selon le rituel le plus populaire, le plus jeune convive se place sous la table et décide à l'aveugle à qui iront les parts. Celui qui tombera sur la fève aura le privilège de faire ce qu'il veut, toute la journée. La tradition veut aussi que celui qui trouve la fève désigne un roi ou une reine et l'embrasse. Et ces deux personnes auront l'honneur de porter une couronne!

Avec le temps, les fèves ont été remplacées dans les galettes par une foule de petits objets ou de petites figurines et icônes en porcelaine… ou en plastique. Certains en font même des collections, une pratique appelée favophilie.

BOULANGERIE ET PÂTISSERIE

Frangipane ou crème d'amandes?

La crème d'amandes est composée d'amandes moulues, d'œufs, de sucre, de beurre et parfois d'une touche de rhum ou d'extrait d'amande. La frangipane, quant à elle, est composée de deux tiers de crème d'amandes et d'un tiers de crème pâtissière, ce qui a pour effet d'alléger la préparation. Comme elle nécessite moins d'amandes, la frangipane coûte moins cher à confectionner.

L'origine de la frangipane

Selon le *Larousse gastronomique*, ce serait à un parfumeur italien qu'on doit le nom de frangipane. Installé à Paris au XVIIe siècle, Frangipani avait mis au point un parfum pour les gants à base d'amande amère. C'est de cette essence que se seraient inspirés les pâtissiers de l'époque pour créer leur dessert.

Les deux types de galettes

Bien qu'il existe de nombreuses recettes et tout autant de façons de la préparer, la galette des Rois se divise surtout en deux catégories : la briochée et la feuilletée.

- **La version briochée** est préparée avec une pâte à brioche nature qu'on façonne généralement en couronne et qu'on garnit de fruits confits et de pépites de sucre. Cette couronne, non glacée, porte aussi le nom de fougasse dans le sud de la France, où la fête des Rois est encore très célébrée.

- **La version feuilletée** de la galette des Rois est la plus connue; il s'agit d'un épais gâteau en forme de roue ciselée d'entailles croisées et confectionnée avec une pâte feuilletée fourrée à la frangipane. Cette dernière est préparée à partir d'un mélange d'amandes moulues, de sucre, d'œufs et de crème pâtissière.

En cuisant, la frangipane donne suffisamment de vapeur pour développer le feuilletage. Le beurre en ébullition dans le four permet à toutes les petites couches de feuilletage de gonfler et de se séparer, ce qui permet d'obtenir une galette d'une certaine épaisseur, sans agent levant.

Où la trouver?

Quelques rares supermarchés en offrent, mais ce sont surtout les pâtisseries françaises qui préparent des galettes des Rois. Comme elles peuvent s'envoler très vite, mieux vaut les réserver à l'avance.

BOULANGERIE ET PÂTISSERIE

La meringue

...

La meringue séduit depuis des siècles. Cette pâtisserie très légère, faite d'un mélange de blancs d'œufs battus en neige et de sucre, fond littéralement dans la bouche. Mais il en existe d'autres types.

Créée par Gasparini, pâtissier de la ville de Meiringen, en Suisse, la meringue apparaît à la fin du XVIIe siècle. Rapidement, elle séduit la reine Marie, épouse du roi de France, Louis XV. Et c'est à Versailles qu'elle recevra le nom officiel de meringue. En 1825, le gastronome Brillat-Savarin écrivait au sujet de la meringue : «Jamais votre bouche charmante n'aspira la suavité d'une meringue à la vanille ou à la rose; à peine vous élevâtes-vous jusqu'au pain d'épice.» Cela donne une idée du plaisir que procure cette délicieuse pâtisserie à ses amateurs! Pourtant, elle ne contient généralement que des blancs d'œufs et du sucre…

La chimie de la meringue

Lorsqu'on bat les œufs en neige, on rompt certaines liaisons d'hydrogène par un phénomène appelé cisaille mécanique. Les protéines sont ainsi dénaturées et leurs propriétés changent. Elles sont maintenant capables d'emprisonner les bulles d'air dans la masse. Le problème? Il ne faut pas battre plus que le temps nécessaire à l'obtention d'un appareil (préparation) bien ferme. Sinon, la préparation va littéralement retomber. L'ovalbumine, la protéine principale du blanc d'œuf, devient incapable de retenir les bulles d'air et tout s'effondre. Le phénomène est malheureusement irréversible…

Quelques trucs pour réussir les meringues

- Sachez que plus le blanc d'œuf est vieux, mieux il monte. Évitez donc les œufs frais.

- Laissez tempérer les blancs d'œufs une heure ou deux avant de les fouetter.

- Utilisez un bol en inox ou en verre, à température ambiante. N'utilisez pas d'ustensiles en plastique, car cette matière a tendance à garder des traces de gras en surface, et le gras empêche les blancs de bien monter.

- Ne laissez aucune trace de jaune d'œuf dans les blancs, sinon la meringue ne montera pas.

- N'ouvrez pas le four en cours de cuisson.

Plusieurs types de meringues

En pâtisserie, on distingue trois sortes de meringues :

- **La meringue française** se mange seule, comme un biscuit. Elle se décline en diverses formes, grosseurs, couleurs et parfums. On la cuit pour en faire des coques sèches et craquantes reconnues pour fondre dans la bouche. On peut les colorer avec quelques gouttes de colorant alimentaire et les parfumer en y versant de l'extrait de vanille ou de la poudre d'amandes ou de noisettes, par exemple. On la prépare en montant les blancs en neige, auxquels on incorpore graduellement du sucre (5 blancs d'œufs pour 340 g de sucre). Le mélange ferme doit retomber sur le batteur, comme un bec d'oiseau. On façonne les meringues avec une poche à douille sur une plaque à pâtisserie, puis on les fait sécher au four à basse température (200 °F) pendant plusieurs heures.

- **La meringue italienne** est le plus souvent utilisée pour la décoration de gâteaux, dont la traditionnelle tarte au citron. On s'en sert pour alléger la crème pâtissière, la crème au beurre, les mousses, etc. Sa préparation est un peu plus délicate que pour la meringue française. Elle se distingue par le fait qu'on utilise un sirop de sucre versé doucement en filet sur des blancs d'œufs légèrement battus (mousseux). Une fois refroidie, elle doit être utilisée immédiatement.

- **La meringue suisse** sert souvent de base à d'autres préparations comme la fameuse crème au beurre. Dans ce cas-ci, les blancs d'œufs et le sucre sont pochés au bain-marie. On peut aussi la sécher pour préparer des décorations de gâteaux. Si on la cuit comme la meringue française, on obtient par contre une texture moins friable : elle est quand même sèche à l'extérieur, mais son centre reste moelleux. Elle sert donc à fabriquer de petits sujets décoratifs : personnages, animaux, etc. Elle se conserve jusqu'à trois semaines au sec dans une boîte hermétique.

Les huîtres

• • •

Les variétés d'huîtres sur le marché sont de plus en plus abondantes. Malgré leurs noms divers, nombre d'entre elles proviennent de la même et unique espèce...

L'huître est de plus en plus populaire et abondante dans les épiceries et les poissonneries. Les Québécois les découvrent et parfois les connaissent suffisamment pour les nommer en enfilade : Caraquet, BeauSoleil, Raspberry Point, Blue Point, Malpèque, Lucky Lime, French Kiss... Mais plusieurs ignorent que ce florilège de mollusques appartient à une seule et même espèce, *Crassostrea virginica*. C'est une huître creuse qu'on appelle aussi l'huître américaine, car elle est native de nos côtes. On la trouve du nord du Nouveau-Brunswick jusqu'au golfe du Mexique.

D'un goût à l'autre

Bien que les huîtres soient de la même espèce, elles ont des goûts souvent différents. On parle de «merroir» pour désigner le terroir de la mer. Il varie d'un endroit à l'autre. De ce fait, la salinité, la température de l'eau, la présence de planctons et d'algues, la technique d'élevage sont autant de facteurs qui influent sur le goût et la forme du coquillage.

Par exemple, au Nouveau-Brunswick, on cultive la French Kiss. Marketing oblige, elle a été commercialisée pour le marché américain à l'occasion de la Saint-Valentin. Ses caractéristiques? Charnue à souhait et goût de noisette. Autre exemple, à Shippagan, dans la baie de Saint-Simon, où l'eau est plus douce, on cultive la Saint-Simon. Les huîtres sont moins salées et ont un goût qui rappelle la tourbe.

Choisir et conserver

Au Canada, les huîtres sont classées en fonction de la forme de la coquille et de la relation entre la longueur et la largeur, caractéristiques qui ne changent en rien les qualités gustatives de la chair. Les catégories sont : commerciale, normale, de choix et de luxe.

Sur l'étal du poissonnier, les huîtres ne devraient pas être enfouies dans la glace, mais déposées à sa surface, côté arrondi vers le bas. Leur odeur devrait rappeler celle de la brise marine. De plus, elles devraient être lourdes, signe qu'elles ont préservé tous leurs liquides. Pour se conserver, les huîtres fraîches doivent demeurer vivantes : leur coquille devrait être fermée et intacte. Si elles sont ouvertes, frappez-les délicatement; les huîtres vivantes se refermeront et pourront donc être consommées.

Vous pourrez conserver les huîtres entières au réfrigérateur une semaine tout au plus, dans un contenant peu profond, en les recouvrant d'un linge humide. Évitez de les laisser dans un sac de plastique ou un contenant hermétique. Elles se gardent aussi au congélateur pendant trois mois. Pour cela, les huîtres doivent être décortiquées et dans leur jus. Comme leur texture change à la congélation, il est préférable de les faire cuire ensuite.

Un savoir-faire

L'élevage d'un tel aliment nécessite du savoir-faire… et de la patience. Il faut de trois à cinq ans avant de commercialiser le coquillage. Conséquence : mener à terme une seule huître coûte pas mal cher.

Pour aider les producteurs, le gouvernement fédéral a autorisé la vente des huîtres une fois qu'elles ont atteint 6,4 cm au lieu de 7,6 cm. Ainsi est née l'huître cocktail, cultivée en suspension et en été dans des poches flottantes à proximité de la surface de l'eau. Elle passe l'hiver en suspension sous la glace, puis est replacée près de la surface de l'eau pour grossir au printemps, période où elle bénéficie de conditions optimales de nutrition, d'oxygène et de gaz métaboliques.

Valeur nutritive

L'huître est une excellente source de cuivre, de fer, de zinc ainsi que de plusieurs autres nutriments. De plus, le contenu en lipides de l'huître, légèrement supérieur à celui des autres fruits de mer, en fait une bonne source de vitamines A, B12 et D.

Toute l'année

Finis les mois en «bre» pour manger des huîtres! Aujourd'hui, elles peuvent être mangées en tout temps, de façon sécuritaire, même dans les mois les plus chauds de l'année. Tout est une question de maîtrise de la chaîne du froid.

Auparavant, les gens tombaient malades surtout en été, car l'huître était mal conservée. Maintenant, avec le contrôle sanitaire des eaux, on peut en manger en tout temps.

Le saumon d'élevage

...

C'est un des poissons les plus consommés au Canada. Mais des environnementalistes accusent ses éleveurs de polluer les océans, et certains scientifiques ont déjà affirmé qu'il est contaminé par divers polluants cancérigènes.

Le saumon est sans contredit le roi des poissons. Savoureux, facile à cuisiner, accessible et bon pour la santé du cœur avec ses oméga-3.

Mais depuis plusieurs années, les groupes environnementalistes comme SeaChoice ou Greenpeace dénoncent les techniques d'élevage en cages ouvertes avec filets. La liste des accusations est longue : maladies, transmission de parasites, poissons en fuite, pollution, gaspillage de la nourriture à base de poisson. Greenpeace déplore que le saumon d'élevage s'échappe fréquemment des cages et risque de contaminer ou de concurrencer les stocks de saumons sauvages. Par ailleurs, les déchets de nourriture et les matières fécales provenant de l'élevage de saumons entraînent une pollution par les nutriments et la diminution de la biodiversité autour des cages d'élevage. Enfin, les espèces marines sont pêchées des océans pour nourrir les saumons d'élevage, ce qui augmente la pression exercée sur les stocks sauvages. Les écologistes prônent plutôt des cages fermées et étanches pour protéger les océans et le saumon, une sorte d'aquarium d'eau salée en mer comme sur terre. Bref, devons-nous éviter de manger du saumon d'élevage, tel que le préconise Greenpeace?

Comme un poisson dans l'eau

S'il est vrai qu'il y a une vingtaine d'années, il y avait des problèmes de déchets, ça s'est bien amélioré depuis. Au Canada, nos pratiques sont les meilleures et les plus réglementées du monde. On a plus de 70 lois qui gèrent l'aquaculture, tant du côté environnemental que du côté de la santé humaine.

Outre le sombre tableau dressé par Greenpeace ou d'autres organismes, comme Slow Food, il se trouve qu'en 2004, les résultats d'une étude publiée dans la revue *Science* mettaient aussi un grain de sable dans les rouages de l'aquaculture. Après avoir étudié plus de 700 spécimens de saumons sauvages et d'élevage pour en analyser les teneurs en contaminants, les auteurs de l'étude concluaient que les personnes consommant du saumon d'élevage plus d'une fois par mois seraient plus à risque de développer un cancer que celles consommant du saumon sauvage. Le coupable, selon eux : l'alimentation des poissons d'élevage. Ainsi, cette alimentation plus grasse, à base de farines et d'huile de poisson, qui augmente la teneur en matières grasses et la valeur nutritive des saumons d'élevage, accroîtrait également la quantité de dioxines, de BPC et de pesticides dans leur chair.

Aquaculture intégrée

L'élevage du saumon atlantique est en constante évolution. Depuis 10 ans, des recherches sont faites pour minimiser les répercussions environnementales de cette culture. On expérimente une usine de recyclage sous l'eau, un concept appliqué dans 10 % des fermes. On appelle ça de l'aquaculture intégrée : on élève et fait pousser ensemble plusieurs espèces, comme le saumon, les moules et les algues. En bref, on recrée une chaîne alimentaire où les moules et les algues se nourrissent des déchets organiques. En plus, la coculture de saumons et de moules permet de traiter une partie des maladies qui existent encore, comme dans tout élevage. Bien que l'aquaculture de saumons nécessite encore l'utilisation d'antibiotiques, on en administre bien moins qu'il y a 30 ans.

« Saumon atlantique »… du Chili !

Malgré les efforts déployés, il reste un problème de taille pour le consommateur. À l'épicerie, on ne trouve aucune information sur les méthodes d'élevage et rarement sur la provenance du poisson. Et pour ajouter à la confusion, le nom «saumon atlantique» (*Salmo salar*) désigne non pas la provenance mais plutôt l'espèce. Par exemple, au Québec, plus de la moitié des saumons vendus au supermarché provient du Chili !

Tout de même du bon poisson

Cependant, disent d'autres experts interrogés, même si le saumon d'élevage contient plus de polluants que son cousin sauvage, ces taux demeurent en deçà des valeurs considérées comme dangereuses pour la santé.

Une autre étude québécoise de 2005 montre d'ailleurs que la consommation de saumons et de truites d'élevage, même à raison de plusieurs repas par semaine, ne permet jamais d'atteindre les valeurs toxicologiques de référence fixées pour les BPC, les dioxines ou encore le mercure. Elle confirme également une étude de 2002 effectuée par Santé Canada qui avance les mêmes conclusions.

Bien que les écologistes maintiennent leur position, des changements ont quand même eu lieu. Sur la côte Est, on se sert d'aliments contenant moins de 30 % de farines de poisson. On en utilise de moins en moins, car ces poissons sont en voie de disparition et les stocks sont donc en danger. Les produits végétaux comme l'huile de lin ou de canola sont aussi utilisés.

Oui, mais qu'en est-il de la lutte contre la pollution due aux déjections des saumons? Non seulement une meilleure alimentation évite trop de déjections, mais l'industrie s'installe aussi dans des nouveaux sites plus creux avec plus de courants. Une fois la récolte finie, on laisse les lieux sans poissons pendant 6 à 12 mois pour qu'ils se régénèrent, un peu comme on fait en agriculture. Les parasites, comme les poux de mer, sont abondants, et cette façon de faire permet donc de s'en débarrasser.

Le thon en conserve

· · ·

Du thon blanc, du thon pâle, dans l'eau, dans l'huile. Au rayon des conserves, ce n'est pas le choix qui manque! Bonne source de protéines, le thon contient des oméga-3 et est prêt à manger, donc à la portée de tous. Mais lequel acheter?

On peut diviser les thons en conserve en trois groupes : dans l'eau, dans l'huile et assaisonnés. Nous les avons évalués du point de vue nutritionnel.

Le thon dans l'eau

Il n'y a pas de très grandes différences entre le thon pâle et le thon blanc dans l'eau. Le blanc contient un peu plus d'oméga-3, mais ce n'est pas vraiment significatif. Pour donner du goût au thon et augmenter sa durée de conservation, les fabricants ajoutent du sel et, à ce chapitre, les différences entre les marques peuvent être notables.

Le thon dans l'huile

Certains thons dans l'huile se démarquent par leur valeur nutritive. Ils ont des teneurs en gras et en sodium intéressantes, mais encore une fois, il en existe qui sont beaucoup trop salés et beaucoup plus gras. Vérifiez les étiquettes!

- **Le thon assaisonné**

  Apparu plus récemment sur le marché, il constitue un bon aliment de dépannage : déjà assaisonné, il est très pratique, mais plus cher. Parmi ces produits, certains ont des taux de sodium très élevés. En assaisonnant le thon soi-même, avec un peu d'huile, de citron et de poivre ou de pâte de tomates par exemple, il serait plus santé et moins coûteux!

Écoresponsabilité

Qu'il s'agisse de thon dans l'eau, dans l'huile ou assaisonné, d'autres critères de choix importants sont à prendre en compte. Il faut porter attention à la méthode de pêche, puisque la survie de plusieurs espèces de thon est menacée. Par exemple, le thon blanc, appelé aussi germon ou *albacore* (en anglais), est classé «quasi menacé». Tout comme le thon à nageoires jaunes.

La raison de cette menace : la pêche à la senne, qui attrape sans distinction dans les filets de jeunes thons qui ne pourront pas se reproduire, ce qui risque de mener à la fin de l'espèce. Cette méthode de pêche est aussi critiquée pour les dommages qu'elle cause à d'autres espèces. Sur certaines conserves, vous verrez l'étiquette *Dolphin Friendly*; c'est bien, mais ça veut dire qu'on protège seulement les dauphins. Il y a beaucoup d'autres espèces qui se font prendre dans ces filets, comme les tortues, les requins.

Pour mettre un terme à ces menaces, des organismes d'envergure internationale tels Seafood Watch ou Marine Stewardship Council recommandent aux consommateurs de ne se procurer que du thon blanc ou à chair pâle «pêché à la ligne» et de rechercher le logo de pêche durable certifiée.

Le babeurre

• • •

Relégué aux oubliettes, le babeurre mérite
qu'on redécouvre ses grandes qualités!

Si nos grands-mères utilisaient fréquemment le babeurre dans leur cuisine, de nos jours, il est carrément oublié. En 2013 au Québec, la consommation annuelle de babeurre était de 0,13 l par habitant, alors qu'en moyenne on consomme près de 76 l de lait par année.

Le babeurre, ou lait de beurre, fait partie des produits laitiers. Son nom lui vient de l'époque où on battait le beurre à la main. Traditionnellement, on fabriquait le babeurre à partir du liquide résiduel de la fabrication du beurre.

Le babeurre aujourd'hui

De nos jours, le babeurre ressemble plutôt à un lait fermenté. Préparé en usine à partir de lait pasteurisé, il est additionné de lait écrémé en poudre, de sel et d'une culture bactérienne. Cette dernière permet la fermentation. En outre, une partie de son sucre naturel, le lactose, est transformé en acide lactique, d'où son goût acidulé.

Même si son nom donne l'impression qu'il est riche, son contenu en matières grasses est à peine de 0,25 % (1 g de gras pour 250 ml). Et c'est une excellente source de protéines et de riboflavine. Comme il n'est pas enrichi, il contient moins de vitamine A que le lait et ne renferme aucune vitamine D.

Comment utiliser le babeurre?

Le babeurre se substitue parfaitement au lait dans les recettes, par exemple pour les muffins, les gâteaux, les biscuits, les crêpes ou les gaufres. Il sert aussi à concocter des vinaigrettes, des marinades et des potages savoureux. Le babeurre se consomme en *smoothie* avec des petits fruits, ou peut s'utiliser dans la préparation de desserts glacés. Ingrédient qui fait la renommée du poulet frit à la texane, il rehausse également le goût du cari indien. On le trouve dans la section des produits laitiers, mais ce ne sont pas toutes les épiceries qui le proposent.

Un peu de chimie

En pâtisserie, la réaction entre le bicarbonate de soude et l'acidité du babeurre confère une légèreté appréciable à la pâte.

Le beurre

• • •

En cuisine, le beurre n'a pas son pareil pour rehausser la saveur des plats. Les Canadiens en consomment en moyenne un peu plus de 2,5 kg par année; les Français, deux fois plus!

La fabrication du beurre n'a quasiment pas changé depuis la domestication des vaches il y a des milliers d'années. C'est simple : on écrème le lait, récupère la crème et la baratte pour en faire du beurre. Composé d'environ 80 % de matières grasses, le beurre ne contient pas plus de calories ou de gras que la margarine ou les huiles végétales telles que l'huile d'olive, mais ce sont principalement des gras saturés et il demeure très énergétique.

Une différence qui se goûte?

Tous les producteurs industriels de beurre au Québec ont une chose en commun : le lait. Il est ramassé de ferme en ferme par camion-citerne avant d'être livré à l'usine de transformation et mis en commun. Cette mise en commun du lait fait en sorte que tous les beurres industriels en Amérique du Nord ont pratiquement le même goût. Il n'y aura de différences notables qu'avec les beurres étrangers, ainsi qu'avec les beurres biologiques et fermiers. Plus rares, ces derniers présentent des différences de goût appréciables, car ils ne sont pas faits avec des laits mis en commun. Le goût d'un lait qui provient d'une ferme distincte peut en effet varier selon l'alimentation de la vache et le beurre qu'on en fait aura une couleur qui changera selon les saisons, en plus de contenir de l'acide linoléique.

Si vous recherchez une différence de goût encore plus marquée, il y a les beurres d'appellation contrôlée importés d'Europe (un seul beurre québécois entre dans cette catégorie), vendus dans les épiceries fines. Il faut être prêt à payer le prix. Cette différence vient de l'alimentation des troupeaux d'un terroir donné, qui a une influence directe sur le goût du lait.

Le beurre se conserve au frigo, au congélateur ou quelques jours sur le comptoir. Laissé à la température de la pièce, il s'oxydera. Cela modifiera sa couleur et son goût.

Types de beurres

On distingue différentes variétés de beurres :

• Selon son contenu en sel, le beurre est dit salé, demi-sel ou non salé;

• Le beurre de culture, plus cher, est obtenu par l'ajout de cultures bactériennes à la crème, ce qui développe une légère acidité et un goût quelque peu différent;

• Le beurre léger, quant à lui, est additionné d'air et d'eau. Il contient donc moins de matières grasses (de 39 à 60 %).

Ne vous laissez pas berner par la mention «baratté» sur certaines étiquettes, qui fait simplement référence au barattage, processus de fabrication que tous les beurres subissent.

Les différences de prix

Si les beurres industriels des très grandes marques se ressemblent autant, pourquoi les prix varient-ils presque du simple au double?

Certains détaillants se servent du beurre pour attirer la clientèle dans les supermarchés. La réduction du prix du beurre vient donc du détaillant et non du transformateur. Les marques maison coûtent souvent moins cher, bien qu'elles soient fabriquées dans les mêmes usines, avec le même lait. Un numéro à quatre chiffres sur l'emballage permet d'identifier l'usine où est fabriqué le beurre et de constater qu'il vient du même endroit que ceux des grandes marques.

Les beurres biologiques et les beurres fermiers, quant à eux, coûtent presque le double des beurres industriels à cause du soin apporté à l'alimentation des vaches et de la production limitée.

  Truc de L'épicerie

Cuisson dans une poêle froide

La cuisson de certains mets demande un traitement doux et progressif. Le magret de canard, par exemple, aura tendance à calciner s'il est déposé dans un poêlon brûlant. Posez-le plutôt à froid sur la surface de cuisson et augmentez peu à peu l'intensité du feu pour que la graisse fonde et que la peau croustille. Retournez-le alors pour saisir le côté chair, puis finissez la cuisson au four. Les mêmes conseils s'appliquent aux poissons et aux fruits de mer. Commencer à froid évitera de les racornir ou carrément de les brûler. Ils resteront ainsi moelleux à souhait.

Le cheddar

• • •

Le fromage cheddar doit son nom à la ville de Cheddar, dans le comté de Somerset. C'est en 1170 que Henry II le proclame meilleur fromage d'Angleterre.

Au XVIIIe siècle, les immigrants loyalistes s'implantent au Canada et apportent avec eux la recette et l'art de la fabrication du fromage cheddar. Déjà au XIXe siècle, le Canada fournissait au Royaume-Uni plus de 60 % du cheddar consommé. Encore aujourd'hui, ce fromage est très populaire au pays : en 2010, chaque Canadien en a mangé 4,1 kg.

Côté texture

La texture du cheddar de consommation courante est ferme, lisse et légèrement élastique. Plus le fromage prend de l'âge, plus il devient granuleux. La texture d'un fromage est influencée par la façon dont celui-ci est fabriqué et par la composition finale qu'il aura (taux d'humidité et de matières grasses). On trouve aussi sur le marché une version allégée, un peu plus sèche puisqu'on a diminué le taux de gras. Les ferments utilisés et le pH ont une influence sur la composition fine du fromage et sur sa minéralisation, donc sur sa texture. En plus, lors du vieillissement, les protéines et une partie des matières grasses sont dégradées. Cela modifie la texture du fromage frais (plus ferme, plus élastique) pour la rendre plus souple et plus onctueuse.

Comme pour la plupart des fromages, mieux vaut laisser le cheddar à température ambiante une trentaine de minutes avant de le déguster. Il fond et gratine bien à température élevée.

En bouche

Le cheddar se distingue par sa pâte ferme et sa saveur qui rappelle la noisette et le beurre. On trouvera dans le cheddar fort des notes de sel, de lait sucré et un goût légèrement fruité.

Il en existe deux grandes catégories sur le marché :

• **Le cheddar de consommation courante,** ou régulier, vendu au rayon des produits laitiers (il est classé par intensité de saveur : doux, moyen, mi-fort, fort et extra-fort);

• **Le cheddar vieilli,** ou de maturation, offert dans les présentoirs de fromages fins (il est classé par âge, soit de un an à cinq ans).

Comme les cheddars de consommation courante sont fabriqués à partir de lait pasteurisé, c'est-à-dire exempt de bactéries pathogènes et de microorganismes, leur goût sera moins prononcé que celui des cheddars vieillis. En effet, leur période de maturation est plus courte. La durée d'affinage des fromages vieillis doit être de neuf mois au minimum et la durée réelle d'affinage doit être inscrite sur l'emballage. Le terme «fort» ne fait référence qu'à la saveur.

Et quand il est orangé?

Les cheddars sont parfois orangés, résultant de l'utilisation d'un colorant alimentaire, l'annatto, ou roucou, extrait d'un arbre tropical. Cette coloration assure l'uniformité de la couleur du fromage, qui peut varier de lot en lot à cause des fluctuations de la couleur du lait selon les saisons. Le colorant n'influence en rien le goût du fromage.

Le yogourt grec

...

Les marchés d'alimentation offrent sur leurs tablettes de plus en plus de yogourts grecs. Peu gras, riches en protéines, d'une texture épaisse et onctueuse, pas étonnant qu'ils soient si populaires!

Le yogourt grec a le vent dans les voiles. Ses ventes ne cessent d'augmenter. Mais puisque tous les yogourts vendus au Québec sont produits dans notre province, pourquoi dit-on qu'ils sont grecs? C'est en raison de leur mode de fabrication.

Lorsqu'on prépare un yogourt à la façon grecque, on ajoute une étape supplémentaire après la fermentation : la filtration. Traditionnellement, le yogourt obtenu par fermentation est égoutté pendant une longue période. C'est ce procédé d'égouttement qui lui donne sa texture ferme si caractéristique. On n'a donc pas besoin d'ajouter de gélatine ou d'agents de texture pour l'épaissir, comme on le fait souvent dans les yogourts ordinaires.

Puisqu'il perd beaucoup de volume lors de l'égouttement, il faut au moins deux fois plus de lait pour obtenir la même quantité de yogourt. C'est pour cette raison que le yogourt grec est deux fois plus riche en protéines. Et aussi plus cher. Et comme sa consistance épaisse provient de la filtration, il n'est pas nécessaire d'utiliser du lait entier au départ. On peut donc trouver des yogourts grecs à 2 % de matières grasses qui sont aussi épais et onctueux que des yogourts ordinaires à 8 % de matières grasses. Ceux qui surveillent leur tour de taille en sont d'ailleurs fort ravis. Cela dit, ce que le yogourt grec gagne en protéines, il le perd en calcium. Lors du procédé d'égouttement, ou de filtration, la moitié du calcium part avec l'eau. Comme quoi rien n'est parfait.

Et on l'utilise comment?

Comme il est ferme, le yogourt grec remplace avantageusement différents produits laitiers dans les recettes. Les Turcs en ont fait un incontournable sur leur table de tous les jours. Mélangé à des feuilles de menthe émincées, il est excellent sur des burgers d'agneau. Et relevé d'ail, le yogourt sera idéal pour napper les boulettes de boulgour, qui seront ainsi moins sèches et plus savoureuses.

On peut en faire une soupe froide, à base de concombre, ou chaude, à base d'agneau. Le yogourt grec remplace la mayonnaise dans les salades de pommes de terre ou de concombres. Les possibilités sont multiples, puisque le yogourt grec peut aussi accompagner les fruits frais en salade. N'oubliez pas d'ajouter du yogourt grec dans vos frappés aux fruits pour en améliorer la valeur nutritive!

Valeur nutritive

Avec sa texture et son petit goût acidulé, il rappelle la crème sure. D'ailleurs, le yogourt grec est très intéressant à utiliser en cuisine pour remplacer celle-ci, car il est nettement moins gras. En prime, on augmente la teneur en protéines de nos recettes, et la sensation de satiété.

En matière de valeur nutritive, pour une même portion, les yogourts grecs sur le marché ont sensiblement le même nombre de calories, de lipides et de protéines. Certaines marques affichent par contre plus du double de l'apport en calcium que d'autres marques. Pourquoi? Cela s'explique par le type de filtration utilisé. Comme nous l'avons dit plus haut, la méthode traditionnelle fait perdre une partie du calcium pendant l'égouttement. Mais un autre procédé concentre le lait en retirant une partie de son eau avant de le transformer en yogourt. Cela permet bien sûr d'afficher un taux de calcium supérieur dans le produit final. De plus, il contient de la vitamine D, ce qui n'est pas le cas des autres yogourts grecs du marché.

  Truc de L'épicerie

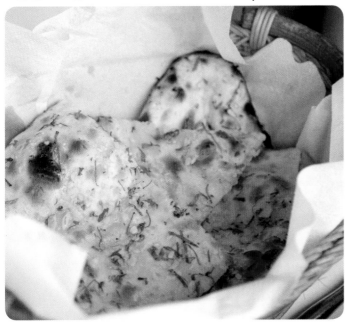

Pains plats... pas «plates»!

Pita, tortilla, naan… si tendres le jour même, mais bien rassis le lendemain. Pourquoi les abandonner alors que vous pouvez les ranimer à bon compte? Le pita concassé, avec huile, citron, sel et épices, fait des croustilles parfaites pour la trempette. Passez-le au four un quart d'heure à 350 °F. Coupez les tortillas en pointes pour les transformer en nachos avec herbes et fromage. Quant au naan, il devient pizza en un temps record. Utilisez les restes : en économisant, vous enrichirez votre table!

Les abats

• • •

Repoussants pour les uns, divins pour les autres! Découvrez ces mal-aimés.

Aliments

Les abats comptent pour environ 15 % de la carcasse des animaux de boucherie. Rouges ou blancs, ces organes qu'on qualifie de nobles comprennent le foie, les rognons, les ris et la cervelle, mais aussi toutes les autres parties vitales de la bête. Parmi les abats jugés moins nobles, on trouve les poumons, le cœur, la tête, la moelle, les tripes. Il y a également la peau des joues et de la tête d'agneau, la queue de bœuf, les pieds de porc, la langue, les testicules d'agneau, de mouton et de taureau, les mamelles de vache… Rien n'est gaspillé!

Un atout pour la santé, peu coûteux

Les abats sont excellents pour la santé et ils constituent une bonne source de protéines. Ils sont aussi riches en fer et très maigres. Comme il s'agit de morceaux peu coûteux, ils peuvent nourrir quatre personnes pour quelques dollars.

De nombreuses charcuteries achetées en magasin, comme les pâtés ou les terrines, contiennent des abats. On peut aussi cuisiner soi-même les abats et les servir en plat principal. Toutefois, on doit les apprêter avec soin.

Pour les préparer, il faut parfois les nettoyer préalablement en les débarrassant du sang, des veines et des membranes, puis les mettre à tremper dans de l'eau salée ou du lait. On peut ensuite les faire mariner.

Le goût et la texture des abats varient, selon qu'il s'agit du cœur ou de la cervelle, par exemple. Le cœur a une saveur neutre et une texture ferme. Il est facile de le griller au barbecue, mais il faut vérifier la cuisson en cours de route pour s'assurer que la viande reste rosée et tendre. Les abats plus fragiles, comme le foie, les rognons et la cervelle, dont la texture est douce, voire crémeuse, et les ris (thymus), ne doivent pas être surchauffés, car ils risqueraient de se dessécher ou de brûler. Marinés, ils sont encore meilleurs.

MISE EN GARDE

Parce qu'ils sont fragiles, les abats doivent être apprêtés rapidement après l'achat afin de conserver leur fraîcheur. Assurez-vous de les acheter d'un endroit réputé, même si, au départ, ils ont reçu une certification de salubrité.

Le bison

• • •

Pour satisfaire vos envies carnivores, pourquoi ne pas essayer le bison? Il est deux fois moins gras que le bœuf! Et la différence de goût est tellement minime que peu feront la distinction.

Décimé au XIXe siècle, le bison réapparaît lentement en Amérique du Nord. Sa viande, moins grasse que celle du bœuf, la remplace avantageusement.

Les Amérindiens ont mangé du bison bien avant nous. En 1800, l'Amérique comptait 50 millions de bisons vivant à l'état sauvage. Aujourd'hui, il n'en reste que quelques centaines à l'état sauvage au Canada, mais 200 000 têtes en élevage, dont plus de 10 000 au Québec.

Plus d'une cinquantaine de fermes québécoises font du bison une de leurs spécialités. C'est un animal rustique, facile à élever, car il reste toute l'année dehors et ne demande pas énormément de soins. Il suffit de lui fournir du foin durant l'hiver.

Cuisiner la viande de bison

Comme la viande de bison est très maigre, il faut soit la cuire lentement, soit la saisir rapidement. Elle sera tendre et fondante si vous la faites braiser pendant plusieurs heures, ou elle révélera toute la finesse de son goût et de sa texture si vous la servez en tataki, c'est-à-dire cuite à l'extérieur et crue à l'intérieur.

Une viande rouge moins grasse

Sur le plan nutritionnel, la viande de bison a de nombreux avantages. Elle contient de 20 à 30 % plus de protéines que la viande de bœuf, et 2 fois moins de matières grasses.

Le prix de la viande de bison

L'abattage du bison se fait lorsque l'animal a environ deux ans et demi, car c'est à cet âge que sa viande est la meilleure et la plus tendre. Or le bison est beaucoup plus petit que le bœuf au même âge. Il pèse environ 272 kg en carcasse, alors que le bœuf, lui, pèse environ 454 kg. L'éleveur a donc moins de viande pour le même prix d'abattage, ce qui explique pourquoi elle coûte plus cher.

En épicerie

Toutes les coupes de bison ne sont pas offertes à l'épicerie. Vous y trouverez facilement de la viande à fondue, peut-être aussi du bifteck de haut de surlonge et des médaillons. Pour d'autres coupes, vous devrez vous adresser à un boucher.

100 g de viande hachée crue	Viande de bison	Viande de bœuf
Calories	223 kcal	332 kcal
Protéines	18,7 g	14,4 g
Lipides (gras)	15,9 g	30 g

Le boudin blanc

• • •

Pas seulement un incontournable
plat français du temps des fêtes!

Le boudin blanc est une ancienne charcuterie qui se distingue du boudin noir par le fait qu'il ne contient pas de sang. Les ingrédients qui le composent varient, mais il est le plus souvent fabriqué à partir de viande blanche (porc, veau, volaille), additionnée de gras de porc ou de veau, de crème, de lait, d'œufs et d'épices. On y ajoute parfois du pain, de la farine ou des substances amylacées, c'est-à-dire contenant de l'amidon. Cette farce, finement hachée, est insérée dans des boyaux naturels, puis boudinée. Le boudin blanc est ensuite cuit doucement dans de l'eau à 90 °C.

À chaque pays sa recette!

En Europe, le boudin blanc est traditionnellement servi en début de repas à l'occasion des fêtes de fin d'année, et sera alors truffé. C'est le grand classique. Mais il y a autant de recettes de boudin blanc que de pays, et même de régions! En Allemagne, on trouve la *Weisswurst* – saucisse blanche –, à base de veau, qui se consomme sur du pain de seigle avec de la moutarde. En Belgique, le boudin blanc de Liège est, quant à lui, confectionné à base de viande de porc et parfumé à la marjolaine. En Irlande, le *white pudding*, aussi composé de porc mais additionné d'avoine, est souvent servi au petit-déjeuner. En France, le boudin blanc de Rethel, dans les Ardennes, jouit depuis 2001 d'une indication géographique protégée.

Comment l'apprêter?

Le boudin blanc se cuisine simplement, poêlé doucement pour ne pas qu'il éclate, ou encore grillé. Il se marie très bien avec des fruits comme la pomme caramélisée ou la pêche.

La caille

• • •

La caille est un oiseau migrateur cuisiné depuis l'Asie jusqu'en Europe. Chez nous, même si ce petit gibier remporte la faveur de bien des amateurs et se trouve en épicerie, il figure rarement au menu des Québécois. Serait-ce parce qu'on ne sait pas comment cuisiner la caille?

Les Égyptiens de l'Antiquité élevaient déjà la caille, et elle apparaissait sur les tables d'Europe il y a plus de 10 000 ans… De nos jours, son élevage est répandu un peu partout dans le monde.

Étonnamment, la caille est l'espèce de volaille produite en plus grand nombre au Canada. Après vient le faisan. Au Québec, la coturniculture, ou élevage de la caille, a débuté dans les années 1950, pourtant nous ne la consommons pas beaucoup et elle demeure une volaille encore peu connue du grand public. Elle est surtout consommée par les Portugais, les Grecs, les Français, les Italiens et les Chinois, qui en raffolent.

Un oiseau à la chair délicate et maigre

La caille fait partie de la catégorie du gibier à plumes comme le canard, l'oie, la perdrix et le faisan. Il faut donc s'attendre à la payer plus cher que le poulet. La chair de cet oiseau est constituée de fibres délicates et savoureuses. Son goût est distinctif et elle est moins grasse que le bœuf ou le poulet.

L'utilisation de ses œufs pour la consommation humaine a contribué à la popularité de la caille au fil des siècles. Les œufs de caille se consomment de la même façon que ceux des poules. À la coque et marinés dans le vinaigre, ils sont largement utilisés en restauration. On les vend également dans les épiceries fines pour la préparation de bouchées.

Valeur nutritive de la viande de caille

PAR 100 g	
Protéines	22 g
Matières grasses	5 g
Cholestérol	70 mg
Calories	134 kcal

Comment cuisiner la caille

Comme la caille est petite et que sa chair est très maigre, il faut éviter de trop la cuire, car elle sèche plus facilement. Et pour l'apprécier, on doit d'abord travailler beaucoup, puisqu'elle a peu de chair mais plein de petits os! Il peut donc être utile de la désosser (à l'exception des cuisses) lors de la préparation; vos convives vous en remercieront. Mieux vaut prévoir deux cailles par personne pour satisfaire la plupart des appétits.

Vous pouvez également les préparer en escabèche. Badigeonnez-les d'un mélange de jus de citron, d'ail, de sel et d'épices, puis faites-les frire dans une poêle pendant quelques minutes. Réservez. Dans la même poêle, faites ensuite tomber un oignon tranché finement auquel vous ajouterez du persil haché, de l'ail et une feuille de laurier. Déglacez avec du vin blanc, ajoutez les cailles dans la poêle et laissez mijoter 5 minutes. Avant de servir, aspergez de quelques gouttes de vinaigre de vin rouge afin de donner une touche d'acidité au plat.

Une façon simple d'apprêter les cailles est de les tremper rapidement dans une marinade, puis de les faire griller sur le barbecue, de 5 à 7 minutes de chaque côté.

  ## Truc de L'épicerie

Lime, limette, alouette!

Vos limes, limettes ou citrons verts sont trop durs? Ils ne rendent pas de jus? Faites-leur retrouver leur climat tropical en les chauffant 30 secondes au micro-ondes ou plusieurs minutes dans un bain d'eau bouillante. Comme par magie, vous aurez plus de facilité à les couper, mais surtout, leur jus sera beaucoup plus facile à extraire et plus abondant!

Le foie gras

...

Produit de luxe, symbole de fête, le foie gras, qu'il soit frais, au torchon ou en conserve, est de plus en plus courant en épicerie. Le Québec en est un gros producteur, mais il reste que c'est un produit plutôt coûteux, alors mieux vaut savoir distinguer le meilleur.

Le foie gras, on aime ou on n'aime pas. Produit de luxe, il est encensé par les uns, décrié par les autres pour des raisons d'éthique animale. Mais au Québec, le foie gras est beaucoup consommé. Nous achetons le quart des 400 tonnes vendues en Amérique du Nord.

C'est le canard mulard, un croisement entre une femelle pékin et un canard mâle de Barbarie, qui est utilisé pour la production de foie gras. Il nécessite 12 semaines d'élevage et 10 ou 11 jours de gavage, ce qui représente un cycle de 4 mois, comparativement à 6 semaines pour un poulet.

Les différents foies gras

Dans les épiceries, on propose soit du foie gras cru, soit du foie gras prêt à consommer, comme les mousses, les parfaits, les blocs et les foies gras entiers ou de style torchon.

Le foie gras prêt à consommer

C'est la concentration de foie gras dans le produit qui détermine son prix :

- **Le bloc de foie gras, le foie gras entier et le style torchon** contiennent tous les trois 100 % de foie gras, des condiments et parfois de l'alcool, comme le porto ou encore l'armagnac;

- **Le parfait** contient 70 % de foie gras, de la graisse de canard et de la crème;

- **La mousse** contient quant à elle 50 % de foie gras, du gras de canard, des œufs, de la crème et d'autres agents émulsifiants. Même chose pour les pâtés, purées ou galantines.

Les qualités recherchées

Le foie gras peut être jaune clair, beige ou ivoire, selon l'alimentation et la nature de l'oiseau. Le poids idéal d'un foie entier se situe entre 500 et 700 g. S'il est trop gros, il fondra davantage à la cuisson. La chair doit être à la fois ferme et souple au toucher.

Un foie gras qui a du style!

On est passé de l'appellation «au torchon» à «style torchon». La technique tradition-nelle consiste à faire macérer un foie gras entier dont on a retiré les veines et les nerfs. Bien salé et poivré, il est ensuite enroulé dans un torchon et cuit lentement dans un bouillon. Le mot torchon vient donc de cette recette, mais le foie gras vendu en épi-cerie est roulé en boudin, poché sous vide et pasteurisé, pour une conservation plus longue. La préparation du foie gras en terrine est la même que pour la méthode au torchon, sauf que le foie est cuit au four et découpé en morceaux dans un moule de terre cuite ou un plat à terrine.

Les différents emballages et la péremption

Selon le type d'emballage utilisé, le produit a une durée de conservation plus ou moins longue :

- **La conserve de métal :** durée de conservation de plusieurs années;
- **Le bocal de verre vissé ou à loquet :** le produit est cuit dans l'emballage et la durée de conservation est de six mois;
- **Sous vide ou en barquette sous film plastifié :** durée de conservation de plus d'un an;
- **En tranches, cuit avant d'être emballé dans du plastique :** durée de conservation courte.

Une question de pourcentage

Contrairement à l'Europe, le Canada n'a mis en place aucune réglementation qui oblige l'industrie à indiquer le pourcentage de foie gras sur l'emballage. Donc, vérifiez la liste des ingrédients : plus elle sera courte et plus il y aura de foie gras!

En cuisine

Le foie gras peut être consommé tel quel, tranché et saisi rapidement à la poêle. On le sert alors en entrée, sur un lit de salade ou en dessert, car il se marie en effet aux figues, aux mangues ou aux pommes.

En général, les connaisseurs préfèrent cuisiner les escalopes à la poêle, ce qui n'est pas plus compliqué que de saisir un steak. Pour obtenir une belle croûte caramélisée, il faut saisir à feu vif une tranche de foie gras d'environ 1 cm d'épaisseur déposée dans un poêlon très chaud. Dès que la tranche commence à grésiller, on la retourne.

Note

Mieux vaut choisir son escalope très fraîche ou congelée, car le foie gras cru se dégrade rapidement et sa graisse risque de se répandre dans la poêle.

  Truc de L'épicerie

Amandes, pignons, noix de coco grillés au micro-ondes

On doit parfois les griller pour raviver leur saveur et leur texture. Au four conventionnel, l'opération est longue et délicate. Entre grillé et calciné, il n'y a qu'un mince écart! On peut le faire à la poêle, mais ça demande une attention de tous les instants, et des surfaces de l'aliment seront plus foncées que d'autres. Saviez-vous que le micro-ondes peut être une solution intéressante? Trois minutes d'abord, puis deux, et une autre si nécessaire… en touillant à chaque étape. Le tout sera uniformément doré et croquant.

Le jambon

• • •

Blanc ou fumé, en tranches ou en dés, en lanières ou enroulé, chaud ou froid, le jambon fait dans la simplicité et aussi... l'unanimité dans la famille! Si tout est bon dans le cochon, tout est-il bon dans le jambon?

Le sandwich demeure un incontournable de la boîte à lunch. Pas étonnant que les ventes de charcuteries préemballées continuent d'augmenter année après année. De toute évidence, le «jambon-beurre» compte parmi les favoris si l'on se fie aux dizaines de jambons cuits, blancs, supérieurs ou spécialisés qui se trouvent en épicerie. Mais tous ne s'équivalent pas.

Choisir son jambon

Lorsqu'on achète un jambon, le premier critère à considérer est la teneur en protéines, car plus elle est basse, plus le jambon contient d'eau. Selon la législation fédérale, les protéines des viandes doivent représenter au moins 12 à 20 % du produit.

C'est aussi une bonne idée de jeter un coup d'œil sur la teneur en sodium. Les sels de phosphate, la saumure ou le sel ajouté font augmenter la teneur en sodium des jambons. Sur le marché, selon les marques, cela peut varier du simple au double.

Pour ce qui est des matières grasses, on remarque que le jambon en tranches renferme de 3 à 5 % de matières grasses, ce qui est tout à fait acceptable pour une personne soucieuse d'avoir une alimentation saine.

On trouve aussi dans la liste des ingrédients du chlorure de sodium, du chlorure de potassium, de l'érythorbate de sodium, de l'acide ascorbique (vitamine C) et des nitrites. La liste est parfois longue! Ces ingrédients servent à conserver au jambon ses qualités organoleptiques, sa couleur rosée et à éviter la prolifération de bactéries.

Parmi l'éventail des jambons cuits préemballés que propose le marché, en lisant bien les étiquettes, il est possible de trouver plusieurs bons produits nourrissants présentant un bas taux de sodium, un taux suffisant de protéines, peu de gras et de produits chimiques et offerts à des prix raisonnables.

Qu'est-ce que le jambon?

Le terme «jambon» désigne la viande provenant de la cuisse de porc, de la pointe de surlonge ou de l'intérieur ou de l'extérieur de ronde. Il est traité par salage et fumage et est vendu avec ou sans son os. La réglementation canadienne précise que pour pouvoir porter l'appellation «jambon», le produit doit provenir de la fesse de l'animal et contenir au moins 80 % de morceaux de viande supérieur à 25 g.

Les types de jambon

Le jambon blanc est cuit dans des moules ou à l'étouffée. Le Forêt-Noire, quant à lui, est cuit exposé à l'air, fumé, puis coloré avec du caramel. La plupart des fabricants utilisent de la fumée liquide pour l'aromatiser.

Les jambons crus

• • •

Prosciutto italien, jambon de Parme, de Bayonne
ou de Serrano : autant de jambons crus
et pourtant assez différents les uns des autres.

D'origine italienne, le mot prosciutto veut tout simplement dire jambon. Un des jambons crus les plus connus est certes le prosciutto de Parme, mais on trouve plusieurs autres types de jambons crus sur le marché : les jambons de Bayonne, de Savoie, des Ardennes, de Corse, de Serrano (Espagne) ou de Westphalie (Allemagne).

Les *prosciutti* de pratiquement toutes les régions d'Italie ainsi que les jambons de Bayonne et de Serrano sont des produits d'appellation d'origine contrôlée, donc fabriqués selon des règles très strictes.

La fabrication : tout un savoir-faire

Tous les jambons crus subissent le même procédé de fabrication. Ils sont salés par frottages répétés pour en retirer l'eau pendant plusieurs semaines. Ils sont ensuite mis à sécher pendant des mois, voire deux années, pour qu'ils vieillissent dans des conditions contrôlées afin que se développent toutes leurs qualités. Ils peuvent également être fumés.

Du pur plaisir

Amateurs inconditionnels comme spécialistes prétendent que le jambon de Parme doit être tranché mince, comme du papier de soie, et servi à la température de la pièce. Quant à décider si on doit consommer le gras du jambon cru ou pas, sachez qu'en Italie, si on ne le mange pas, on ne nous sert plus de prosciutto!

VIANDES ET VOLAILLES

Les grandes différences

De façon générale, on constate que les *prosciutti* italien et espagnol présentent davantage de subtilités que le jambon cru d'origine canadienne, ce qui, outre le transport, justifie leur prix plus élevé. Il faut dire que l'air des montagnes des régions où ils sont produits, l'alimentation des animaux et le savoir-faire ancestral ont une influence sur la qualité du produit.

Le jambon de Parme est le plus connu. On utilise des porcs blancs de race, élevés en montagne avec une alimentation précise, puis conservés selon un procédé de maturation strict. Tout cela pour obtenir le fameux sceau «di Parma» à cinq branches. Et comme les animaux sont aussi nourris de petit-lait de *parmigiano reggiano*, ce jambon aura un goût plus sucré que les autres.

Le jambon de Bayonne est peu salé et «rougi» avec du piment d'Espelette qui lui confère un goût caractéristique.

Le jambon de Serrano est plus ferme. Lors de sa fabrication, il est complètement couvert de sel, mais moins longtemps que le prosciutto. Lors de sa fabrication, le prosciutto sera moins salé que le Serrano, mais plus longtemps. Et au bout de trois mois, on recouvrira de gras les parties sans sel du jambon, ce qui influera sur son vieillissement.

Le jambon cru canadien est le moins cher du marché. Il se distingue parce qu'il est plus salé et moelleux. La raison est qu'on abat plus tôt le porc destiné à cette transformation. Or plus la chair est jeune, plus elle a tendance à absorber de sel. L'alimentation du porc nord-américain lui conférerait également un goût moins typique que celui des jambons crus d'appellation contrôlée.

Et au supermarché?

Les produits préemballés coûtent plus cher que ceux tranchés au comptoir, et lorsqu'ils sont emballés sous vide, leurs minces tranches peuvent coller les unes aux autres et l'on risque de les abîmer au moment de les servir. Pour ce qui est du jambon servi au comptoir, tout est bien si l'on enlève la première tranche, qui peut être plus sèche, oxydée ou dont le sel a cristallisé en surface.

 Truc de L'épicerie

Fanes, tiges, queues et épluchures

Tout chef qui se respecte... respecte aussi ses aliments. Les fanes de céleris-raves, carottes, betteraves, radis, panais, etc., font aussi partie du légume! Comme les épluchures de carotte ou de panais et le vert des poireaux ou des oignons verts, les tiges de fenouil et de persil, les feuilles de céleri et les trognons de chou-fleur et de brocoli. Ne les jetez pas! Au contraire, lavez-les soigneusement et collectionnez-les au congélateur. Ces trésors cachés agrémenteront à merveille un bouillon de bœuf, de poulet ou de poisson, sinon un beau bouillon végétarien. À partir de là, votre imagination peut aller dans tous les sens, entre velouté et potage, et ainsi faire vibrer tous vos sens!

Le jarret de veau

• • •

La Fédération des producteurs de bovins du Québec nous assure que la qualité du veau de grain est identique d'un élevage à l'autre. Pourtant, selon l'évaluation de *L'épicerie*, les prix dans les boucheries varieraient du simple au triple. Comment est-ce possible?

Un ossobuco longuement mijoté et servi avec des pâtes fraîches constitue un plat réconfortant idéal. Ce mets d'origine italienne est devenu un grand classique des restaurants et trône aussi sur nos tables. Du coup, il est désormais facile de trouver du jarret de veau de grain déjà tranché, à la fois dans les grandes surfaces et les boucheries spécialisées.

La question des prix

Nous avons remarqué que le prix d'un jarret de veau de grain peut passer du simple au triple! Est-ce une question d'emplacement? Le jarret arrière contient moins de tendons et est aussi charnu. Le tendon donne de la gélatine lors de la cuisson, ce qui est un avantage, car il est plus savoureux. Le jarret avant contient moins de tissu conjonctif et il est plus tendre. Devant ou derrière, c'est donc différent. Or, si les jarrets de devant et de derrière présentent des qualités culinaires différentes, nous avons observé les mêmes écarts de prix, autant pour ceux de devant que pour ceux de derrière. L'emplacement n'explique donc pas cette si grande variation dans les prix.

Qu'est-ce que le jarret?

Le jarret est la partie du corps de l'animal située entre la cuisse et le mollet, derrière le genou. En boucherie, pour le bœuf, le veau ou le porc, c'est le morceau se trouvant autour du tibia, qui donne aussi son nom à des plats comme le jarret de porc ou l'ossobuco. L'animal ayant quatre pattes, il y a donc deux jarrets à l'arrière et deux à l'avant. La quantité de viande varie selon qu'on prend un morceau situé vers le pied (peu de viande) ou vers la cuisse (beaucoup de viande).

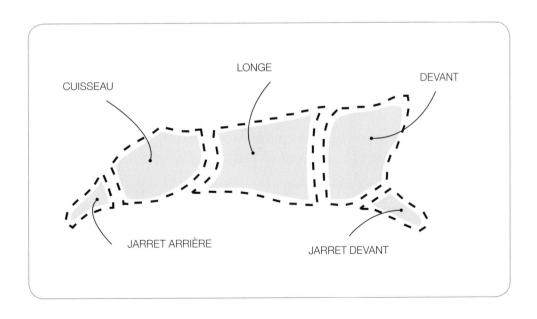

CUISSEAU LONGE DEVANT

JARRET ARRIÈRE JARRET DEVANT

Veau de grain ou de lait?

Au Québec, deux types de veaux sont destinés à la production de viande : le veau de grain et le veau de lait. La distinction provient surtout de leur mode d'alimentation, l'un étant nourri principalement au grain et l'autre, au lait. Aussi, le veau de lait est abattu alors qu'il a entre 18 et 20 semaines et qu'il pèse environ 204 kg. Le veau de grain, pour sa part, est un peu plus âgé, soit environ 25 semaines, et il pèse autour de 277 kg.

Le Québec est un gros producteur (80 % du marché canadien). Il exporte une partie de sa production de veaux de grain en Ontario et de plus en plus aux États-Unis. La raison? Le veau est considéré comme un sous-produit laitier. Puisque le Québec produit beaucoup de lait, il produit aussi beaucoup de veaux!

Et s'il est congelé?

La congélation affecte la fibre de la viande. Cette dernière changera de couleur plus rapidement qu'une pièce de viande tranchée sans avoir été congelée. En plus, au moment du dégel, la perte en eau va être plus élevée. De ce fait, cette viande devrait être moins chère qu'un jarret frais. Il faut donc chercher ailleurs.

L'évaluation de *L'épicerie* montre que les jarrets les plus alléchants et les moins chers proviennent d'une boucherie halal (selon les préceptes religieux de l'islam). Les boucheries halal s'adressent notamment à la clientèle de confession musulmane.

En résumé

Le prix payé pour nos jarrets de veau de grain n'a rien à voir ni avec l'emplacement du jarret sur la carcasse ni avec la quantité de viande autour de l'os. Rien à voir non plus avec le fait que la viande soit congelée ou qu'elle provienne d'une bête fraîchement abattue… pas plus qu'avec la religion du boucher, car certaines petites boucheries non confessionnelles les vendaient quand même à prix concurrentiel.

D'où vient la différence de prix, alors? La variation des prix est plutôt due à l'offre et à la demande. Par ailleurs, notons que les petites boucheries achètent souvent la carcasse entière, alors que les autres privilégient les pièces déjà coupées, ce qui augmente les prix. En outre, les petites boucheries, elles, ont plus de temps pour transformer et maximiser chaque pièce de viande pour leurs clients.

Entre le simple et le triple, il va donc de soi que le meilleur choix, c'est le simple! Et comme c'est dans les petites boucheries que les jarrets sont au meilleur prix, pourquoi ne pas essayer la version de luxe et opter pour le jarret entier?

Le jerky

...

Une bonne collation santé très protéinée.
Mais attention aux ingrédients superflus.

Les jerkys, ces collations de viande de bœuf, de volaille ou de chair de poisson, marinées et séchées, sont de plus en plus populaires et ont maintenant leur place dans les dépanneurs, les épiceries et même dans les brasseries et microbrasseries.

Que du bon pour la santé?

Ces collations maigres et très riches en protéines sont un choix idéal pour remplacer l'énergie dépensée lors d'activités sportives et de plein air. Pourtant, elles ne sont pas toutes bonnes pour la santé. En effet, leur contenu en sel est souvent élevé et il n'est pas rare de trouver dans la liste des ingrédients des agents de conservation comme le nitrite, soupçonné d'être cancérigène.

Et pour être tendre, le *jerky* doit être mince! Malheureusement, celui qu'on trouve dans le commerce est souvent épais et additionné d'agents texturants afin qu'il se mâche plus facilement. Vérifiez bien les ingrédients sur l'étiquette!

Faire son *jerky*

En y mettant le prix, il est tout de même possible de trouver du *jerky* de très bonne qualité, sans ingrédients superflus. Mais il est également très facile de le préparer soi-même. Il suffit de faire sécher de fines tranches de viande à fondue pendant cinq heures dans un four à très basse température ou seulement deux heures dans un déshydrateur. Pour varier les saveurs ou ajouter du piquant à votre collation, faites mariner des lanières de viande pendant quelques heures dans un mélange d'épices sèches de votre choix avant de les faire sécher ou remplacez la viande par du poisson.

La palette de bœuf

• • •

À l'épicerie, les appellations désignant la palette abondent et prêtent à confusion. Et les prix varient! Y a-t-il des différences de qualité, de goût?

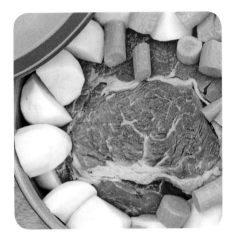

Rôti de palette avec os, bifteck d'œil de palette, bifteck de palette macreuse, rôti d'œil de palette, haut de palette macreuse, demi-palette pot-au-feu... La palette est une pièce volumineuse de 35 kg environ qui se trouve dans le haut côté du bœuf, entre les deux omoplates. Elle est composée aux deux tiers du bas de palette (le plus consommé) et du haut de palette. C'est un muscle qui travaille beaucoup, donc une viande peu tendre qui doit absolument être cuite lentement. Elle profite actuellement d'un regain de popularité grâce au retour des plats mijotés.

Quelle est la différence entre le haut et le bas de palette?

Dans le haut, on trouve l'œil de palette et la macreuse. Elles sont moins tendres que le bas de palette. Certains bouchers les transforment en viande hachée. Le bas de palette est la pièce la plus populaire. Elle comprend un os, mais le boucher peut aussi la vendre désossée.

Comment cuisiner la palette?

• **En braisé :** saisissez la palette, assaisonnez-la, déglacez les sucs du fond de la casserole avec du bouillon de bœuf sans sel ou du vin rouge. Mouillez à mi-hauteur et ajoutez une garniture aromatique. Couvrez. Faites cuire au four à 300 °F pendant environ 4 heures. Une heure avant la fin de la cuisson, ajoutez des légumes d'accompagnement. La viande doit se détacher à la fourchette.

• **À la mijoteuse :** procédez de la même façon que pour la viande braisée. Cependant, la cuisson nécessitera moins de liquide et se fera sur une période plus longue, soit 8 heures à 200 °F.

Le meilleur choix

C'est un morceau avec un os en T. Évitez les rôtis sans gras et sans collagène, car votre viande n'aurait pas de goût. En effet, la présence de gras dans un rôti n'est pas une mauvaise chose parce qu'en fondant sous l'effet d'une cuisson lente, les gras humectent la viande et la rendent plus juteuse.

Le pâté de campagne

...

Tartiné sur un croûton, c'est un délice!
Ce qui différencie les produits sur le marché :
la texture et, bien sûr, les ingrédients!

Alors que le terme «pâté» faisait autrefois référence à une tarte, comme le fameux pâté à la viande, on s'est un jour attardé à ce qu'il y avait à l'intérieur. C'est ainsi que sont nées les terrines, une forme de pâté sans croûte qu'on sert froid.

Le pâté de campagne serait originaire de la Bretagne. On le fait à base de porc haché grossièrement, auquel on ajoute des aromates pour lui donner du goût.

La version commerciale

Les pâtés de campagne commerciaux contiennent évidemment du porc, souvent du foie de porc ou de poulet, et parfois même du gras de porc, auxquels sont ajoutés des œufs, des substances laitières et des épices. La liste est aussi souvent allongée avec du sucre ou de la farine de maïs et des protéines de soya. Viennent ensuite les «autres» ingrédients : des nitrites pour prévenir la croissance bactérienne et conserver la couleur rosée, de l'érythorbate de sodium, un antioxydant qui agit comme agent de conservation et qui préserve la couleur, et du phosphate de sodium, un agent de conservation.

Quoi rechercher?

Comme premier ingrédient, on recherche la viande de porc, car pour plusieurs marques, c'est du gras de porc qu'on trouve plutôt. Comme il s'agit d'un produit riche en matières grasses, on préférera celui qui contient le plus de protéines et le moins de calories, de gras et de sodium. Quant à la liste des ingrédients, on optera pour la plus courte. Mais il se pourrait que le pâté coûte plus cher.

Pâté de campagne ou pâté de foie?

Le premier a une texture grossière et moins grasse que le second qui est plus lisse.

Le pepperoni

• • •

Ce saucisson de porc ou de bœuf, qui trône sur les pizza nord-américaines, peut être cuit, séché ou fermenté. Étonnamment, il n'a pas grand-chose d'italien, si ce n'est une certaine influence.

Le pepperoni n'existe pas en Italie. En italien, le mot *pepperone* veut dire poivron, et dans les livres de référence américains, on affirme que le nom dériverait de *pepper*, poivre. La petite histoire raconte que c'est un Américain d'origine italienne qui l'a créé dans les années 1920, et que les immigrants travaillant pour les chemins de fer et dans les mines en auraient fait un incontournable à l'heure du lunch.

Qu'est-ce que le pepperoni?

C'est un saucisson qui peut contenir du porc et du bœuf, ou exclusivement du porc. Il renferme aussi du poivre et diverses épices dont du paprika, des graines de fenouil et du laurier. Il peut être fermenté ou non et il peut être séché… ou non!

Le pepperoni que nous connaissons au Québec a plutôt été inventé à Montréal. Il se distingue de celui des Américains par le fait qu'il est cuit à haute température plutôt que séché et qu'il ne contient que du porc. De plus, il est moins sec, moins gras et moins piquant. Il se présente en plusieurs dimensions sur le marché du détail.

La valeur nutritive

Comme toutes les charcuteries, le pepperoni est plutôt gras et salé, ce qui n'en fait pas une source de protéines de bonne qualité. Et puisqu'il s'agit de matière grasse de source animale, donc riche en gras saturé, on devrait l'éviter. Il vaut mieux vérifier la valeur nutritive, car il existe de bonnes différences entre les produits.

La différence entre le pepperoni et le salami?

Un pepperoni est un salami. C'est un peu comme la pomme, qui fait partie de la famille des fruits.

Le porc rosé

...

Oseriez-vous manger du porc... presque cru?

La consommation d'aliments crus connaît un fort engouement depuis quelques années. Les sushis, le tartare, le carpaccio de bœuf nous sont déjà familiers; c'est maintenant au tour du porc.

Tout un changement de mentalité, car pendant longtemps, le gouvernement nous sommait de manger le porc très bien cuit. En effet, à l'époque existait un risque d'absorber un parasite appelé trichine qu'on supprimait par la cuisson. Mais les porcs d'aujourd'hui ont meilleure réputation grâce à des pratiques d'élevage qui ont éliminé la trichine des troupeaux.

Les autorités, comme Santé Canada et le MAPAQ, émettent tout de même des recommandations de cuisson assez précises. La température interne recommandée est de 70 °C, mais voici **3 autres façons de cuire des pièces de porc** tout aussi sécuritaires et qui laisseront la chair un peu rosée, voire crue :

- Dans une poêle, faites dorer doucement un carré de porc. Déposez-le sur un lit de légumes et poursuivez la cuisson au four jusqu'à ce que la température interne de la viande atteigne 45 °C. Au sortir du four, couvrez le carré de porc d'une feuille d'aluminium. Sa température atteindra alors 58 °C; c'est ce qu'on appelle la poussée thermique. Laquez-le ensuite avec un mélange de sirop d'érable, de sauce soya et de jaune d'œuf. Un petit tour de quelques minutes sous le gril le rendra croustillant en surface.

- Faites cuire au four un rôti de porc jusqu'à une température interne de 63 °C. Une fois sorti du four, couvrez-le d'une feuille d'aluminium et laissez reposer au moins 3 minutes.

- Apprêtez le filet de porc en tataki, donc pratiquement cru au centre. Il vous suffit alors de l'assaisonner et de le saisir rapidement dans du beurre et de l'huile. Mettez-le ensuite au congélateur pendant 5 à 10 minutes pour le raidir; vous pourrez ainsi le couper en tranches fines. Assaisonnez comme un tataki ordinaire, avec par exemple de la fleur de sel, du poivre du moulin, du jus de canneberge, de l'huile d'olive, des échalotes et un peu de ciboulette.

MISE EN GARDE

Toute préparation de viande crue comporte un certain risque. Mais le fait de saisir les pièces de viande permet de contrôler ces risques en éliminant les microorganismes qui se trouvent généralement en surface.

Le saucisson de Bologne

· · ·

Mieux connu chez nous sous le nom de *baloney,* ce saucisson est un habitué des boîtes à lunch. Cette version économique nord-américaine de la mortadelle italienne se décline de nombreuses façons.

Malgré ce que son nom indique, ce saucisson n'a rien à voir avec le jambon de Bologne. Il s'agit plutôt d'une version nord-américaine de la mortadelle italienne, une spécialité de Bologne elle aussi. La mortadelle est un gros saucisson de viande de porc cuite à sec, légèrement fumée et aromatisée, à laquelle on ajoute des dés de lard.

Le saucisson de Bologne est quant à lui fait avec des restes de diverses viandes séparées mécaniquement (soit du porc, du bœuf, du poulet ou de la dinde, ou un mélange de celles-ci), comme pour la saucisse à hot-dog.

Pour lui donner de la consistance, on y met de la farine, de la fécule de maïs ou de pomme de terre, des protéines de soya et des substances laitières. Son goût, lui, est accentué par l'ajout de saveur de fumée, des épices, de la moutarde, de l'ail et de l'oignon. Et pour le conserver, on ajoute du sodium et des nitrites.

Comment le consommer?

Les Allemands le préfèrent à l'ail, les juifs et les musulmans, à la dinde ou à l'agneau. On le fait frire dans la poêle et on le mange comme une tranche de jambon chaud ou froid entre deux tranches de pain avec de la moutarde. Bien que le saucisson de Bologne ne soit pas une viande très riche en protéines, elle demeure un substitut de la viande acceptable dans la mesure où on n'en mange pas tous les jours!

Valeur nutritive du saucisson de Bologne

Le saucisson de Bologne doit contenir entre 10 et 12 % de protéines, dont au moins 9 % de protéines animales. Le mélange de viandes peut varier d'un produit à l'autre.

Le saucisson sec

• • • •

Le mot charcuterie vient des artisans, des «chaircuttiers»,
qui cuisaient des viandes pour assurer leur conservation.
Mais aujourd'hui, les charcuteries ne sont pas toutes cuites.
Certaines, faites de viande crue, nécessitent une maîtrise
de l'art charcutier. C'est le cas du saucisson sec.

Le saucisson sec est une viande crue qu'on met à sécher dans un environnement très contrôlé. Son élaboration est complexe et nécessite le respect de règles de sécurité alimentaire rigoureuses. Il n'est donc pas recommandé de le préparer soi-même.

Un aliment vivant

Le porc est bien connu pour être un animal porteur de nombreuses bactéries pathogènes pour l'humain, dont celle responsable du botulisme, *Clostridium botulinum*. Or les saucissons se mangent crus. Pour les rendre sans danger, l'industrie a recours à des techniques réglementées, dont l'ajout de sel, de nitrites et de sucre ainsi que la déshydratation et la fermentation par l'ajout de bactéries lactiques. Ces procédés ne détruisent pas totalement les bactéries, mais ils en contrôlent la prolifération. La présence de bactéries dans la viande et les méthodes de contrôle de leur quantité font des charcuteries des aliments vivants, comme le fromage et le yogourt.

L'aristocrate

La charcuterie sèche, dont fait partie le saucisson sec, est considérée comme l'aristocratie de la transformation des viandes parce qu'elle est la plus difficile à réussir. Elle nécessite beaucoup de temps et le respect de nombreux paramètres. La capacité à relever le défi d'obtenir le produit désiré en matière de goût tout en maîtrisant ces paramètres tient beaucoup à un savoir-faire qui ne s'enseigne pas dans les livres.

La fabrication du saucisson sec

Les meilleurs saucissons secs sont élaborés à partir de pièces de viande nobles comme l'épaule et le jambon de porc plutôt que de restes de carcasse. Cela évite, en bouche, de tomber sur un bout de tendon ou de collagène…

La viande est d'abord hachée et épicée, puis insérée dans des boyaux naturels. Les saucissons sont ensuite placés dans une étuveuse à température, humidité et ventilation contrôlées. Enfin, ils sont affinés pendant plusieurs semaines dans une salle qui reproduit les conditions d'une grotte. La durée de l'affinage dépend de la grosseur du saucisson et peut aller jusqu'à six mois.

Pour assurer la stabilité du produit et empêcher la prolifération bactérienne, on compte sur le sel, l'acidité résultant de la fermentation et la déshydratation. Une fois bien déshydraté, il est prêt pour la consommation. Qu'il soit petit ou gros, le saucisson sec peut se conserver plusieurs mois au réfrigérateur.

Et la mousse blanche en surface?

Lors de l'affinage, une mousse blanche apparaît en surface… Il s'agit d'une moisissure bénéfique, car elle empêche les microorganismes nuisibles de croître sur le produit. Cette flore microbienne recouvre, à des degrés qui varient, tous les saucissons secs.

 Truc de L'épicerie

Bacon précuit défrisé

Le bacon qui frit, ça sent dans toute la maison. Et puis on n'en prend que quelques tranches à la fois, et le reste risque de devenir rance si on l'oublie trop longtemps. Il y a moyen de remédier à ces inconvénients en précuisant vos tranches de bacon. Étalez-les sur un papier parchemin ou sur une plaque à biscuits. Enfournez une vingtaine de minutes à 400 °F, en vérifiant occasionnellement l'état de la cuisson. Laissez refroidir, puis asséchez et rangez dans un contenant de congélation.

Pour des «chips» bien aplaties, appliquez un second papier et une plaque par-dessus la première. Mettez au four une demi-heure, cette fois. Au moment de vous en servir, réchauffez 5 ou 10 secondes au micro-ondes.

Valeur nutritive
par 1 tasse (55 g)

quotidien

CITRON
4033/4094

calories

Lipid

2

Consommation

...

Les aliments enrichis de calcium

• • •

La moitié des gens ne consomment pas la dose recommandée de 900 à 1 300 mg de calcium par jour. Les manufacturiers l'ont compris et offrent des aliments enrichis en calcium.

On fait boire du lait aux enfants, car on sait qu'il contient du calcium, bon pour les dents, les os et le fonctionnement de bien des cellules de l'organisme. Durant la croissance, emmagasiner du calcium et pratiquer des activités physiques, surtout à impacts, permet de bâtir un squelette fort qui serait plus résistant aux fractures durant la vieillesse.

Or depuis quelques années, on a vu apparaître sur les tablettes plusieurs boissons enrichies de calcium. Voici ce que l'étude de *L'épicerie* révèle à leur sujet.

- Les emballages des laits enrichis affichent qu'ils contiennent un tiers de plus de calcium (40 % de la valeur quotidienne recommandée) par portion, à un prix souvent jusqu'à 30 % plus cher que les laits normaux qui, eux, contiennent 30 % de la valeur quotidienne recommandée. Or, nos tests révèlent que les quantités de calcium promises ne sont pas toujours au rendez-vous.
- Le jus d'orange est désormais offert en version enrichie, équivalente au lait, soit 30 % de la dose quotidienne par portion. Mais il peut contenir jusqu'à six sachets de sucre par portion.
- Les boissons à base de soya ou d'amandes sont très intéressantes lorsque enrichies.

D'autres aliments riches en calcium
- Le fromage, surtout quand il est ferme, est plus concentré que le lait : 50 g équivalent à un verre de lait.
- Pour les yogourts, les taux varient beaucoup d'une marque à l'autre.
- Les poissons en conserve, comme les sardines, le thon ou le saumon, à condition d'en manger les arêtes. Une demi-boîte de sardines équivaut à un verre de lait.

Du calcium en quantité moindre
- Les tofus et les légumineuses en ont une certaine teneur en calcium.
- Les noix et les amandes en sont riches, mais il faut manger 95 amandes pour avoir la même quantité de calcium que dans un verre de lait.
- Le bok choy et les épinards doivent être consommés en grande quantité (presque un wok complet!) pour fournir l'équivalent d'un verre de lait.

En cas de carence
Le médecin peut prescrire des suppléments en comprimés accompagnés de vitamine D, nécessaire à son absorption par l'organisme. Mais il ne faut pas dépasser 2 000 mg par jour, au risque de développer des lithiases rénales (pierres au rein).

Visitez le site d'Ostéoporose Canada :
www.osteoporosecanada.ca/losteoporose-et-vous/la-nutrition/calculez-votre-apport-en-calcium/

Les céréales aux fruits

• • •

On trouve sur le marché de plus en plus de variétés de céréales additionnées de fruits séchés. Derrière leur apparence santé se cachent parfois des surprises : bon prétexte pour lire les informations imprimées sur les boîtes... avant de les acheter.

Lancées en 1942 aux États-Unis, les Raisin Bran de Kellogg's figurent parmi les premières céréales à avoir intégré des fruits dans leur recette. Depuis cette version d'origine et les «deux pelletées de raisins secs», on a vu apparaître sur les tablettes de multiples variantes additionnées de fraises, de bleuets ou de framboises.

Ces petits fruits sont soit déshydratés à froid, c'est-à-dire lyophilisés, soit déshydratés à chaud, de façon traditionnelle. Mais rien n'oblige le fabricant à indiquer le procédé utilisé sur la boîte. Pourtant, la qualité des fruits ainsi préservés est assez différente...

Plein de fruits?

Manger un bon bol de céréales aux fruits, c'est sans doute une manière de consommer une portion complète de fruits, non? Détrompez-vous! Selon l'évaluation de *L'épicerie*, même les marques les plus généreuses n'offrent en général qu'une demi-portion de fruits, soit beaucoup moins que si vous les ajoutiez vous-même, et ils sont moins savoureux que les fruits frais en saison. Quant aux fameux raisins secs, ils sont souvent enrobés de sucre et d'huile de palme, une huile peu recommandable pour la santé.

La lyophilisation

Contrairement à la déshydratation à l'air chaud, la lyophilisation (séchage à froid) donne un produit sec de qualité très proche de l'aliment original. Le procédé permet d'éliminer de 94 à 97 % de l'eau et de conserver le produit de 2 à 5 ans après sa fabrication. Sa forme, ses dimensions, ses couleurs et ses caractéristiques organoleptiques sont donc protégées. Les vitamines supportent également très bien la lyophilisation, même les plus fragiles comme la vitamine C et le bêtacarotène en particulier. Par contre, il s'agit d'un procédé long et très coûteux.

Comment choisir ses céréales aux fruits?

Afin d'effectuer le meilleur choix pour la santé, mieux vaut opter pour des marques qui offrent, par portion de 30 g de céréales aux fruits :

• au moins 3 g de protéines;
• au moins 3 g de fibres;
• pas plus de 8 g de sucre.

Néanmoins, il est encore plus avisé de choisir une céréale à grains entiers, sans fruits, qui contient plus de 3 g de protéines et de fibres, et moins de 5 g de sucre, puis d'y ajouter vous-même des fruits frais en saison gorgés de nutriments ou, à défaut, déshydratés. Cela vous en coûtera à peine plus cher qu'une céréale toute préparée.

Confusion des coupes de viande de bœuf

• • •

Tournedos d'intérieur de ronde, médaillon de contrefilet, rosbif du roi, rosbif de palette, rôti de côtes, rôti de côtes croisées, rôti tournedos… Au rayon des viandes, il y a de quoi perdre son latin.

C'est à se demander si ces noms réfèrent à l'anatomie bovine ou à des découpes de boucherie. Car si le filet, la longe et la ronde sont des muscles, le médaillon, le tournedos et le rôti sont des découpes préparées par le boucher.

Pour éviter la confusion chez le consommateur, la loi oblige le vendeur à indiquer sur l'étiquette la provenance du morceau de viande, par exemple la cuisse ou une de ses parties; le reste relève du marchandisage. De plus, toutes ces appellations (tournedos d'intérieur de ronde, médaillon de contrefilet, rosbif du roi…) suggèrent qu'on achète des pièces découpées selon les techniques de la boucherie fine ou de la tradition française, ce qui n'est pas le cas. C'est comme si on utilisait des noms associés à une qualité supérieure, sans en respecter les règles.

Prenons, par exemple, le tournedos. À l'origine, le tournedos était une pièce noble qu'on prélevait dans le filet du bœuf (région lombaire). C'est la partie la plus tendre de l'animal, mais on ne la trouve qu'en petite quantité sur la carcasse. C'est ce qui fait que le tournedos coûte cher. Pour offrir des tournedos à prix abordable, les bouchers attendrissent des pièces plus coriaces, mais les commercialisent sous le même nom. De nos jours, lorsqu'on parle de tournedos, on ne fait référence qu'à la forme arrondie de la viande bardée de lard ou de bacon, loin d'être tendre comme le filet. La preuve, on trouve aussi des tournedos de poulet sur le marché.

Quelques précisions

La cuisse, une fois séparée de la carcasse et dégraissée, donne trois pièces : l'intérieur de ronde, l'extérieur de ronde et la noix de ronde.

- **L'intérieur de ronde** est la partie la plus tendre de la cuisse. Elle est souvent utilisée pour préparer les tournedos et les médaillons. Mais le détaillant ne précise pas toujours de quelle partie de la cuisse il s'agit.

- **L'extérieur de ronde,** plus coriace, est souvent attendri. Il sert uniquement à faire des rôtis, sachant qu'ils seront cuits lentement.

- **La noix de ronde,** très tendre quant à elle, donne des biftecks d'où on tire aussi le rosbif et le rôti de côtes, très populaires dans les restaurants. Le rôti de côtes se différencie par le fait qu'il contient un os et des tendons. Mais il a bien meilleur goût que les autres pièces, car il est tendre naturellement.

Autre exemple, le rôti. Rôti ou *roast beef*, c'est la même chose (*roast beef* est la traduction anglaise de «rôti de bœuf»). Quant au rôti français ou du roi, il s'agit de la même pièce. Mais la viande a été attendrie. Par conséquent, elle est moins juteuse à la cuisson.

Attention au rôti de haut ou de bas de palette. Il a l'aspect d'un bifteck épais. Certaines personnes seraient tentées de le cuire sur le barbecue, mais il est trop coriace. Il nécessite une cuisson lente, à basse température, pour être tendre et juteux.

Il peut être difficile de s'y retrouver parmi toutes ces appellations. Dites-vous simplement que le prix est un bon indicateur de tendreté : plus les pièces sont de qualité, plus elles valent cher.

Attendrir, oui, mais...

Pour attendrir une viande, le boucher la pique avec des aiguilles en vue de défaire les fibres. Ce sont les fibres qui la rendent coriace, car cette viande provient des muscles qui travaillent fort, comme la cuisse. Mais une fois les fibres brisées, les jus (sang) s'écouleront. La viande sera donc moins goûteuse.

  Truc de L'épicerie

Pointes de pizza du lendemain

Vous avez eu les yeux plus grands que la panse et il vous est resté de cette pizza d'hier? Plutôt que de la réchauffer au micro-ondes (où elle risque de durcir), réchauffez-la plutôt à feu moyen dans un poêlon, 4 ou 5 minutes. Couvrez d'un papier d'aluminium pour que la garniture chauffe aussi bien que la croûte. Vous retrouverez ainsi la tendreté et le croustillant de votre pizza préférée.

La fraîcheur du poisson

Rien ne vaut la saveur et la texture du poisson frais pêché.
Toutefois, la définition de «frais» n'est pas la même
pour tout le monde...

Est-il réellement possible de trouver du flétan de l'Atlantique frais chez le poissonnier du coin, sachant qu'il a été pêché quelques centaines de kilomètres plus loin? La réponse se trouve dans la définition très large de «frais», qui peut aussi bien vouloir dire «fraîchement décongelé» pour l'industrie.

Théoriquement et légalement, la fraîcheur d'un poisson ne se définit pas seulement en termes de temps écoulé depuis sa sortie de l'eau, mais en termes de qualités sensorielles et sanitaires. Ainsi, d'un point de vue «technique», un poisson pêché le jour même et servi dans l'assiette au souper est un poisson frais. Mais un poisson qui a été pêché il y a six mois et qui a été fileté, surgelé et emballé sous vide moins de deux heures après sa sortie de l'eau est également considéré comme un poisson frais!

Même en Gaspésie, le poisson frais est une denrée rare qui tend à disparaître. Car de nos jours, ce sont d'énormes industries qui prennent la relève des petits pêcheurs. Et elles doivent respecter les périodes de pêche déterminées par Pêches et Océans Canada. Par exemple, lorsque 70 % du flétan de l'Atlantique est prélevé en une semaine, impossible de le mettre en vente tout d'un coup, car les prix tomberaient et il n'y aurait plus rien pour le reste de l'année. Résultat : très peu de prises fraîches sont offertes aux consommateurs et la majorité sont transformées, puis aussitôt exportées.

Bien sûr, les qualités sensorielles, ou organoleptiques, de ces différents «poissons frais» peuvent varier légèrement. Une fois décongelé, un filet de sole aura, par exemple, une texture et une teneur en eau différentes d'un filet de sole à peine pêché. Mais dans les faits, contrôlés rigoureusement par les divers organismes d'inspection, ces différents degrés de fraîcheur sont acceptés.

Dans ce contexte, le meilleur moyen d'être assuré de la fraîcheur d'un poisson demeure de le pêcher soi-même…

Reconnaître la fraîcheur à l'épicerie

Il est utile de savoir que les mêmes critères de fraîcheur s'appliquent pour un poisson frais non congelé que pour un poisson frais décongelé. En effet, l'empreinte d'un doigt disparaîtra sur la chair du filet et la texture sera la même que celle d'un avant-bras. Aussi, l'odeur du poisson devrait être celle de la mer et des algues.

Pour un poisson entier, les yeux doivent être bombés, le mucus transparent, les branchies (quand il y en a) roses et la queue bien droite quand on tient le poisson par sa tête.

Recongélation?

Pourquoi ne peut-on pas recongeler un poisson déjà dégelé? Il perdra de sa fermeté, car les cristaux de glace abîment sa chair. De plus, si on recongèle un poisson moins frais, on emprisonne tous ses «défauts» et les microorganismes qui se sont peut-être développés à l'intérieur. Ce qui n'annonce rien de bon pour la suite…

Le jus d'orange

· · · ·

Les comptoirs réfrigérés des supermarchés regorgent de marques de jus d'orange «frais». Ces produits ne sont pourtant pas issus d'oranges tout juste pressées. Souvent, ils ont même reçu un petit coup de pouce pour que leur goût et leur arôme soient plus frais.

Les Canadiens

dépensent environ 500 millions de dollars chaque année en jus d'orange. Pour arriver à nous offrir un jus ayant le même goût tous les matins de l'année, l'industrie s'autorise à jouer un peu avec la nature…

Comme notre climat ne nous permet pas de produire des agrumes, nous devons importer des jus d'oranges pressées de la Floride ou du Brésil, par exemple. Les fruits sont pressés sur place, le jus pasteurisé, puis transporté par bateau et camion jusqu'aux usines de transformation.

La pasteurisation, l'entreposage et le temps font malheureusement perdre au jus d'orange son goût typique et sucré d'agrume. Au moment du conditionnement, le jus pressé depuis plusieurs semaines, voire plusieurs mois, subit donc une cure de rajeunissement grâce à l'ajout d'essence d'orange faite entre autres de butanoate d'éthyle, un composé de l'arôme provenant du fruit. Ce dernier est récupéré au moment du pressage des oranges. On concentre les résidus de pulpe et de pelure pour produire de l'essence d'orange selon le même procédé breveté que celui utilisé en parfumerie.

Ce rajeunissement qu'on offre au jus d'orange en lui remettant du butanoate d'éthyle irrite nos voisins états-uniens. À tel point qu'ils intentent des recours collectifs contre Coca-Cola et PepsiCo pour leurs jus respectifs, Simply Orange et Minute Maid ainsi que Tropicana. Ces recours sont basés sur le fait que oui, l'ingrédient ajouté fait partie de l'orange et que les consommateurs acceptent que les compagnies en ajoutent dans les mêmes concentrations que ce que contient l'orange naturelle. Par contre, si les compagnies en ajoutent beaucoup plus, le jus «manipulé» ne serait pas aussi naturel que son emballage le laisse croire. Or c'est la raison pour laquelle on le paie plus cher!

Surprise!

L'épicerie a analysé quelques jus d'orange purs et naturels du commerce et a pu constater que les taux de butanoate d'éthyle sont majoritairement plus élevés que dans l'échantillon de jus fraîchement pressé. Et même jusqu'à 15 fois plus.

Selon l'Agence canadienne d'inspection des aliments, «il est permis d'ajouter du butanoate d'éthyle dans le jus d'orange comme arôme, pourvu que le fabricant mentionne sur l'étiquette qu'il s'agit d'un produit aromatisé et que la teneur en butanoate d'éthyle y soit indiquée». L'information est pourtant absente de la grande majorité des emballages.

Voilà donc une autre belle occasion de nous faire entendre… Les consommateurs qui veulent voir ces informations sur les contenants devraient déposer une plainte en ce sens à l'Agence canadienne d'inspection des aliments. Car jusqu'à preuve du contraire, l'industrie persiste à nous laisser croire que son jus est aussi frais et naturel qu'un jus fraîchement pressé.

Les pesticides dans les fruits et légumes

· · ·

Chaque année, certains fruits et légumes parmi les plus consommés se retrouvent sur la liste peu enviable des «douze salopards», la fameuse *Dirty Dozen*, qui énumère ceux qui contiennent le plus grand nombre de pesticides.

L'utilisation des pesticides et des insecticides est très répandue dans l'agriculture traditionnelle. Depuis la moitié du dernier siècle, le recours à ces centaines de produits chimiques est considéré comme un mal nécessaire dans l'agriculture de masse pour en optimiser les rendements. Il semble que ce soit encore le moyen le plus efficace et souvent le moins cher de gérer les insectes et les maladies.

Il se trouve toutefois de plus en plus de voix pour les dénoncer et nous mettre en garde contre les dommages que ces produits causent à l'environnement et à la santé humaine.

Le nombre de pesticides ne dit toutefois rien sur leur dangerosité ou leur conformité avec les normes en vigueur. Bien que l'usage des pesticides soit réglementé, on s'inquiète entre autres de leur présence dans l'alimentation, car même si ce sont de faibles doses, à répétition et pendant de longues périodes, elles pourraient avoir des conséquences sur la santé à long terme, comme le développement de cancers ou le dérèglement des systèmes endocrinien, neurologique, reproducteur, etc.

De fait, on trouve des résidus de pesticides dans l'urine de 90 % des Canadiens, ce qui confirme leur présence importante dans nos aliments. Donc même si on les élimine, ces pesticides ont le temps d'entrer dans le corps, d'être absorbés dans la circulation systémique et de passer à travers les différents organes, y compris le cerveau, là où ils peuvent créer des dommages.

Le saviez-vous?

Les Douze salopards, ou *The Dirty Dozen*, est un film américain paru en 1967 dans lequel douze criminels sont engagés dans une mission suicide contre des généraux nazis installés dans un château en France. C'est à ce film que des lobbys prosanté et environnementaux nord-américains et européens empruntent le titre pour nommer la liste annuelle des fruits et légumes qui contiennent le plus grand nombre de pesticides.

Les douze fruits et légumes «salopards» contenant le plus grand nombre de pesticides sont détectés lors des inspections menées par les autorités gouvernementales, comme l'Agence canadienne d'inspection des aliments ou le département de l'Agriculture des États-Unis.

TDAH et pesticides

Une étude réalisée à l'Université de Montréal en collaboration avec l'Université Harvard auprès de 1 200 enfants américains soulève des questions inquiétantes, car on a observé
que les enfants atteints d'un trouble déficitaire de l'attention
avec hyperactivité (TDAH) avaient davantage de résidus
de pesticides dans leur urine. On ne peut pas nécessairement conclure que les pesticides sont l'unique cause de
leur hyperactivité, mais c'est un signal d'alarme. Une autre
étude, du Public Health Institute, California Department of
Health and School of Public Health, note que des femmes
enceintes vivant près d'endroits où on épandait des pesticides étaient plus à risque de donner naissance à des enfants
autistes. Sur 270 000 nouveau-nés, 465 étaient autistes.

Manger ou pas des fruits et légumes?

D'un côté, on nous dit de manger plus de fruits et légumes,
mais de l'autre, de nous méfier de ceux de la liste de la
Dirty Dozen parce qu'ils contiennent trop de pesticides. Or,
se priver de manger des fruits et légumes causerait plus de
dommages à notre santé que le contraire. Si vous achetez des fruits et légumes issus de l'agriculture traditionnelle, il est important de bien les laver à grande eau et pas
seulement de les faire tremper. Si possible, les brosser, voire
les éplucher et les cuire si leur usage l'indique. L'important,
c'est encore et toujours de varier les fruits et légumes
qu'on consomme.

La politique d'exactitude des prix

· · ·

Prenez-vous le temps de vérifier les prix à la caisse au supermarché? Vous devriez! *L'épicerie* a mené sa propre enquête et a découvert qu'il y a bien plus d'erreurs qu'on ne le pense.

Vendredi soir, vous êtes pressé. La file d'attente s'allonge à la caisse du supermarché, vous vous dépêchez d'emballer vos achats et vous payez. Mais une fois à la maison, vous constatez qu'on vous a facturé certains articles en solde au prix courant, ou que certains articles à prix courant n'ont pas été enregistrés à la caisse au même prix que celui affiché sur la tablette. Eh bien, il vaut la peine de retourner à l'épicerie avec votre facture, car ces articles pourraient vous être entièrement remboursés!

Depuis 2001, une loi protège les consommateurs du Québec contre les erreurs de prix dans les commerces de détail. Si le prix erroné excède le bon prix, le commerçant fautif est tenu de vous donner l'article ou d'en réduire le prix de 10 $ si la valeur de l'article excède cette somme.

En tant que consommateur averti, on devrait signaler ces erreurs aux commerçants et réclamer chaque fois réparation, car ils sont tenus par la loi de s'assurer de l'exactitude des prix qu'ils affichent. Et plus on le signalera, plus ils feront attention. Même si parfois certains refusent de rembourser les clients ou qu'il faut insister de longues minutes au comptoir pour obtenir gain de cause, la loi soutient le consommateur.

Comment se fait-il qu'il y ait autant d'erreurs?

La principale raison est que les commerçants n'affichent plus les prix sur chaque article, mais sur la tablette. Tous les prix étant désormais enregistrés dans les caisses, impossible pour les clients de connaître le prix d'un article à moins de retourner à l'étalage. C'est pourquoi les commerçants sont tenus d'installer des lecteurs optiques dans les allées à l'usage des clients. Mais plusieurs de ces lecteurs étaient difficiles à trouver, défectueux ou affichaient des prix inexacts lorsque nous les avons consultés.

Nous avons par ailleurs constaté que dans certains commerces le prix erroné de ces articles dans le lecteur avait été corrigé à la caisse. Ici encore, la loi est claire : les lecteurs optiques doivent afficher des prix exacts, et cela, même si le prix est corrigé à la caisse. Par contre, si le prix est corrigé à la caisse, vous n'obtiendrez pas de dédommagement…

Ce que dit la loi

La Politique d'exactitude des prix prévoit que si le prix d'un article à la caisse est plus élevé que le prix annoncé en magasin, le prix le plus bas prévaut.

Si le prix affiché est de 10 $ ou moins, le commerçant doit remettre l'article gratuitement au client. Si l'article coûte plus de 10 $, le commerçant doit alors accorder au client un rabais de 10 $ sur le prix de l'article à vendre.

Notre enquête*

Pour savoir si les erreurs de facturation sont fréquentes, nous avons visité 15 épiceries de la région de Montréal où nous avons choisi au hasard 25 produits figurant parmi les rabais hebdomadaires.

Résultat étonnant : nous avons découvert au moins une erreur de prix dans 9 des 15 épiceries visitées. Imaginons un instant la somme d'argent que représentent ces erreurs et que les commerçants empochent sur les millions de transactions réalisées dans les caisses des épiceries de la province...

De ces 9 épiceries, 6 ont spontanément appliqué la Politique d'exactitude des prix. Nous avons ainsi obtenu 6 produits gratuitement et 2 avec une réduction de 10 $. Toutefois, un épicier a refusé de nous donner l'article en expliquant que l'affiche avait été déplacée, et deux ont refusé d'appliquer la loi.

* L'étude de *L'Épicerie* date de 2012. Bien que les résultats de notre enquête ne soient pas de l'année courante, tout porte à croire que la situation n'a pas évolué et que les erreurs d'étiquetage continuent de se produire. La vigilance de la part des consommateurs est donc toujours de rigueur.

Pas facile de vérifier tout ça à la caisse

En dépit de l'existence de cette protection pour le consommateur, il faut tout de même être très attentif à la caisse lorsque nos articles défilent sur le tapis roulant. Qui plus est, il faut avoir de la mémoire pour se rappeler quels produits étaient en solde et à quel prix dans la montagne d'articles qui s'empilent dans notre chariot. Pour nous faciliter la tâche, mieux vaut rassembler les articles en solde dans notre panier d'épicerie. Une fois à la caisse, on les passe tous ensemble.

Que faire en cas de refus?

Si vous découvrez à la caisse qu'on vous a facturé un article en solde au prix courant ou que le prix affiché ne correspond pas à celui de la caisse, signalez-le tout de suite à la caissière. Si l'erreur est fondée, demandez à être indemnisé en vertu de la Politique d'exactitude des prix, qui est d'ailleurs souvent affichée aux caisses.

Si le marchand refuse néanmoins de se plier à la loi, vous pouvez déposer une plainte à l'Office de la protection du consommateur. Ces plaintes peuvent avoir un effet dissuasif pour les commerçants : s'ils sont reconnus coupables en matière d'exactitude des prix, ils écoperont d'une amende de 600 à 2 000 $, ou plus en cas de récidive... Certains commerces ont déjà été frappés d'amendes de 50 000 $!

Quant à l'effet de la loi sur les commerçants, notons que notre équipe a obtenu plus de 50 $ de produits gratuits en 15 visites à l'épicerie simplement en vérifiant l'exactitude des prix. La preuve que la vigilance paie.

Les exclusions

Avant d'invoquer la Politique d'exactitude des prix lorsqu'une erreur est constatée à la caisse, il faut savoir que certains produits en sont exemptés. Il s'agit en général de produits dont les prix sont réglementés, par exemple le lait, l'alcool, le tabac ou les médicaments.

Le poulet sans antibiotiques

• • •

Heureusement qu'il y a eu du changement...
mais il reste encore du chemin à parcourir.

En 2014, 50 000 personnes sont mortes aux États-Unis et en Union européenne après avoir contracté de simples infections de gorge ou urinaires, ou encore la bactérie E. coli. Les bactéries en cause étant résistantes aux antibiotiques, on n'a pas pu soigner ces malades par les moyens classiques. L'utilisation inappropriée d'antibiotiques dans la production d'animaux d'élevage en serait en partie responsable.

Bilan inquiétant. De fait, en 2013, l'Organisation mondiale de la Santé a lancé un cri d'alarme à ce sujet. En janvier 2015, le président Obama a alloué 1,2 milliard de dollars pour financer cette guerre aux bactéries antibiorésistantes. C'est dire l'importance que revêt ce constat.

En 2011, *L'épicerie* a vérifié la salubrité de 100 échantillons de poulet achetés partout au Canada. Résultat : 90 bactéries ont été trouvées dans 66 cuisses de poulet et 62 d'entre elles étaient résistantes à au moins un antibiotique utilisé chez les humains.

Et en 2015, qu'en est-il de la situation? Elle persiste. Et pourtant, on continue d'utiliser les antibiotiques dans l'élevage des animaux.

Que doit-on retenir de cette situation au juste? Que si on ne fait rien, d'ici moins d'une génération, soit de 15 à 20 ans environ, nos antibiotiques pourraient perdre toute leur efficacité.

Que peut-on faire? Trouver de nouveaux antibiotiques, mais surtout limiter, sinon complètement bannir, le recours à ces substances chez l'animal. Cette pratique consomme à elle seule 80 % des antibiotiques utilisés dans le monde.

Peut-on élever des animaux sans antibiotiques?

La réponse est oui. Mais on doit s'attendre à payer nos viandes plus cher. Sans antibiotiques, une partie des animaux succomberaient aux maladies infectieuses. Les producteurs devraient assumer les coûts reliés à cette perte de production et ils ne manqueraient pas d'en refiler la facture aux consommateurs.

Faute de volonté politique ou de consensus dans l'industrie, il revient au consommateur d'exiger des poulets sans microbes résistants aux antibiotiques. C'est le prix à payer pour assurer sa sécurité et celle de ses descendants.

La situation au Canada

En février 2015, McDonald's aux États-Unis annonçait que le poulet vendu dans ses restaurants américains serait sans antibiotiques. Et au Canada? La situation est différente : l'antibiotique retiré chez nos voisins du Sud, la gentimicine, n'est plus administré aux animaux d'élevage depuis plusieurs mois déjà.

De plus, du point de vue réglementaire, le Canada n'a pas de politique précise sur la diminution ou l'élimination de l'usage des antibiotiques. Cela demeure la responsabilité des producteurs et des vétérinaires. Toutefois, on constate que l'emploi d'antibiotiques dans l'élevage des volailles a beaucoup diminué au cours des dernières années. Mais tout n'est pas gagné.

 Truc de L'épicerie

Jus de citron

Quand le citron est en saison, soit entre novembre et mars, profitez des aubaines et achetez-en à la douzaine. Ce fruit ne se congèle pas, mais son jus, oui. Imaginez les limonades express que ça vous fera l'été venu. Le jus de citron empêche également de noircir les fruits fragiles, notamment la poire et la pomme. L'avocat aussi gardera mieux sa belle couleur grâce au citron. Et le céleri-rave râpé doit être impérativement citronné en attendant sa sauce rémoulade.

La provenance de la viande

• • •

Une loi oblige les détaillants à nous informer de la provenance des fruits et légumes. Cette information est aussi souvent affichée au rayon des poissons et fruits de mer. Pour le bœuf et le porc, par contre, il en est autrement.

La viande de bœuf

La viande de bœuf offerte dans nos épiceries peut provenir d'Uruguay ou d'Australie en passant par les États-Unis, sans qu'on le sache. Il est très difficile de savoir quelle viande vient de quel endroit. La raison de ces provenances variées est que le Québec ne produit pas suffisamment de bœuf.

Effectivement, les éleveurs d'ici produisent moins de 20 % de notre consommation. Et la grande majorité de ces bouvillons sont abattus et débités hors du Québec. Il serait donc ardu de les suivre à la trace.

On peut tout de même trouver dans quelques rares épiceries et boucheries fines de la viande de bœuf québécoise sous l'étiquette «Viandes sélectionnées des Cantons», un produit de niche. Il s'agit de bœuf élevé dans différentes régions du Québec, sans hormones de croissance, sans antibiotiques et dont on connaît la provenance.

La viande de porc

Dans le cas du porc du Québec, la situation est différente, car il bénéficie d'un sceau de provenance. Il est exporté dans plus de 125 pays à travers le monde, où il est reconnu pour sa grande qualité. Mais ce succès à l'étranger prive le marché local : on exporte plus de 60 % de notre production et, bien qu'on en produise suffisamment pour répondre à la demande, les étalages contiennent beaucoup de porc venu d'ailleurs, surtout des États-Unis.

Au consommateur de jouer

Pourtant, on constate que le consommateur achète davantage quand les produits viennent d'ici, parfois jusqu'à 30 % de plus. Un produit qui a le logo «Aliments du Québec» augmente sa part de marché de 2,8 % en moyenne, ce qui donne raison aux défenseurs de l'affichage de la provenance des viandes.

Mais les détaillants justifient l'absence de cet affichage par un autre critère : cela engendrerait des coûts additionnels. Pourtant, l'information sur la provenance est disponible, puisque Santé Canada exige qu'on puisse retracer la viande dans le cas de toxi-infection. Les abattoirs la possèdent et l'inscrivent dans le code à barres. Et ce code à barres est aussi apposé sur les boîtes de livraison.

Lors d'un sondage récent réalisé par le ministère de l'Agriculture, des Pêcheries et de l'Alimentation du Québec, 43 % des gens ont dit que la provenance est le critère le plus important pour le choix d'un produit. Au consommateur, donc, d'exercer son influence et d'exiger chaque fois qu'il en a l'occasion que les marchands offrent des viandes d'ici dont la provenance est clairement indiquée sur l'étiquette.

La transglutaminase

...

Ce nom chimique vous effraie? La transglutaminase est une enzyme qu'on trouve naturellement dans le corps humain, mais aussi dans les animaux, les insectes et les plantes. Or l'industrie l'a synthétisée pour en tirer un additif alimentaire. Pourquoi?

La transglutaminase permet de «souder» entre eux des aliments riches en protéines, par exemple les viandes. Dans l'industrie alimentaire, elle est utilisée comme agent liant pour des produits comme la goberge, dont on fait des croquettes de poisson ou des imitations de chair de crabe.

Cette enzyme entre aussi dans la fabrication de nombreux produits laitiers (yogourt, lait), dans les nouilles, les viandes émulsifiées (hot-dog, saucisse), etc. C'est grâce à elle si l'on est maintenant capable de confectionner des saucisses sans boyaux. Certains grands chefs et les adeptes de la cuisine moléculaire s'en servent également pour créer de nouvelles textures et formes. Auparavant, ils utilisaient du blanc d'œuf ou de la gélatine, mais cela laissait un certain goût à l'aliment.

Possibilité de fraude

Grâce à cette méthode, on peut ajouter à la viande des bas morceaux, comme les viscères ou la peau, qu'on trouve normalement dans la chair à saucisse ou avec les déchets. Ce qui n'est pas honnête, c'est de faire passer une pièce de viande reconstituée avec de la   minase pour une pièce de viande authentique. Au Canada, contrairement à l'Europe, la loi oblige les fabricants à indiquer la présence de transglutaminase dans les produits. Mais sans doute à cause de son prix élevé, 152 $ le kilo, elle est peu ou pas utilisée par l'industrie.

Doit-on la craindre?

Non. L'enzyme a été isolée et reconstituée sous forme de poudre. Elle est détruite par l'acide de l'estomac et Santé Canada garantit son innocuité. Cependant, les bactéries qui se trouvaient à la surface de la viande avant sa transformation peuvent désormais se retrouver à l'intérieur de la nouvelle pièce de viande reconstituée avec de la transglutaminase. Il est donc recommandé de bien cuire l'aliment pour détruire toutes les bactéries.

Les ustensiles en bois

• • •

On prend machinalement sa cuillère en bois pour mélanger des ingrédients dans une casserole. Ensuite, on la lave et on la remet dans le tiroir pour la prochaine fois. Mais l'a-t-on vraiment bien nettoyée?

En cuisine, les ustensiles en bois ont leurs adeptes. Il faut dire que le bois, c'est beau, c'est un bon isolant et ça n'égratigne pas les surfaces antiadhésives. Et à force d'utiliser les ustensiles en bois, ils prennent la forme de notre main, ce qui les rend très ergonomiques.

Sur le marché, on trouve des ustensiles de toutes sortes d'essences de bois et de tous les prix. Mieux vaut opter pour les bois durs comme l'érable, qui est résistant et dense, ou encore le bois d'olivier, qui est extrêmement dur et qui résiste bien à l'humidité; ce dernier est d'ailleurs idéal pour touiller la salade.

Avec le temps, nos ustensiles en bois s'abîment, se dessèchent, se tachent et deviennent difficiles à nettoyer. La preuve, nos tests de laboratoire ont montré que des cuillères en bois peuvent héberger de nombreuses bactéries, entre 15 et 5 000, selon les cas! La plupart des bactéries que nous avons trouvées étaient inoffensives, mais nous aurions pu dénicher des bactéries pathogènes dangereuses comme la salmonelle ou E. coli.

Le nettoyage

À partir du moment où la surface est abîmée, avec des fissures par exemple, les bactéries peuvent s'incruster dans une sorte de gomme qui adhère fortement à la surface; c'est ce qu'on appelle le biofilm. Pour le déloger, pas de secret : il faut régulièrement brosser nos ustensiles, utiliser un bon dégraisseur, un nettoyeur et par la suite un assainisseur. Un assainisseur? Oui, et on peut le préparer soi-même. Ce qui est très efficace, c'est la solution Dakin : 5 ml d'eau de Javel dans 1 l d'eau. On n'a qu'à laisser tremper nos ustensiles dans cette solution pendant une vingtaine de minutes, et le tour est joué. D'ailleurs, nous avons nettoyé de cette façon tous les articles de bois que nous avions d'abord testés pour en vérifier la salubrité, et même les pires cuillères sont redevenues impeccables.

Le lave-vaisselle détruit-il les bactéries? Oui, mais il ruine le bois en le décolorant, entre autres. Cependant, même un ustensile décoloré se récupère : il n'y a qu'à le poncer pour lui refaire une petite beauté.

Question d'entretien

Pour conserver ses ustensiles en bois plus longtemps, on peut les poncer de temps à autre et les imperméabiliser avec de la cire d'abeille ou un autre produit qui en contient. Évitez d'utiliser une huile végétale pour les imperméabiliser parce qu'elle colle et rancit. Bien traités, vos ustensiles ne vous laisseront jamais tomber. Et vous pourrez même les léguer à vos petits-enfants!

Valeur nutritive
par 1 tasse (55 g)
quotidien
CITRON
4033/4094
calories
Lipid

Santé et nutrition

...

CHOIX SANTÉ

L'alimentation des femmes enceintes

• • •

Le soin apporté à l'alimentation de la femme enceinte est primordial pour le déroulement de sa grossesse et le développement du fœtus. Mais entre les conseils de son médecin et de son entourage, comment peut-elle s'y retrouver?

Du craquelin au verre de vin, chaque époque a ses modes et ses croyances concernant les aliments à consommer ou à éviter lorsqu'on est enceinte. Les trucs de nos grands-mères ne font pas exception. Sauf qu'on se rend compte que plusieurs de ces conseils sont fondés. Par exemple, manger des craquelins pour calmer les nausées. En effet, lorsqu'elles sont nauséeuses, les femmes enceintes doivent manger. Or l'envie n'y est pas toujours et leur odorat est plus sensible, ce qui explique qu'elles soient parfois agressées par certaines odeurs. Comme les craquelins ne dégagent pas d'odeur particulière, ils sont tout à fait indiqués. D'ailleurs, les nutritionnistes recommandent aux femmes nauséeuses de consommer des aliments froids plutôt que chauds, car ils dégagent moins d'odeurs.

Du côté nutritionnel, que doivent savoir les femmes enceintes? Que les experts préconisent toujours une alimentation riche en fer, mais aussi en acide folique et en acides gras essentiels, par exemple les oméga-3. L'acide folique, qui se trouve notamment dans les légumes verts, favorise la croissance des cellules, entre autres celles du tube neural du fœtus. Les oméga-3, dont certains poissons sont riches, participent aussi au développement de son cerveau.

Le risque des modes

L'alimentation sans gluten séduit certaines femmes enceintes. Toutefois, en évitant les aliments à base de blé, source de gluten, les futures mères vont se priver d'une quantité importante d'aliments, de plusieurs vitamines et de fer, parce que les produits céréaliers en sont enrichis. Et cela aura un effet négatif sur le développement du fœtus.

Une nouvelle tendance plus inquiétante encore en matière de restrictions alimentaires est la «mommyrexie». Il s'agit de la volonté de prendre le moins de poids possible durant la grossesse et d'en perdre le plus rapidement après l'accouchement, en évitant de consommer certains aliments. Malheureusement, cela crée des carences en nutriments. Par exemple, une femme qui se prive de produits laitiers ne consommera plus suffisamment de lait, source de vitamine D et de calcium, essentiels au développement du fœtus.

À titre informatif, un gain pondéral variant entre 11,6 et 16 kilos est dans la norme. Pour atteindre ce poids, il ne faut pas manger deux fois plus, mais deux fois mieux.

Et le petit verre de vin avec le repas?

Les professionnels de la santé sont catégoriques quand il s'agit d'alcool : tolérance zéro!

Pourtant, il n'y a pas si longtemps, on croyait qu'il ne fallait pas dépasser une certaine quantité, ou que c'était la fréquence de consommation d'alcool qui pouvait causer des dommages au fœtus. Maintenant, on sait que ce n'est pas le cas : même à petites doses, ou une seule fois mais en grande quantité, l'alcool peut avoir un effet négatif sur le fœtus.

Le cru

La popularité des sushis, tartares et fromages fermiers a entraîné l'apparition d'une autre interdiction, devenue incontournable : le cru. Pourquoi? Parce que l'aliment cru peut contenir des bactéries nocives susceptibles d'atteindre le fœtus. Or le système immunitaire du bébé est en développement. N'étant pas encore mature, il n'est pas en mesure de se défendre contre ces bactéries pathogènes. Les risques de dommages cérébraux, de malformations congénitales ou même d'avortements et d'accouchements prémturés sont importants.

L'édamame

• • •

Cette fève a l'allure d'un légume, mais sa valeur nutritive s'approche de celle de la viande. On gagne à l'intégrer à notre alimentation!

L'édamame est une fève de soya verte, cueillie avant sa maturité. Cette légumineuse présente un grand intérêt nutritionnel. Non seulement elle est riche en protéines, mais elle est aussi la seule de sa catégorie à être considérée comme une protéine complète, c'est-à-dire contenant tous les acides aminés essentiels. L'équivalent de 175 ml remplace donc une portion de poisson, de viande ou de volaille.

Contrairement à la viande, la fève édamame est dépourvue de cholestérol et contient principalement de bons gras insaturés, notamment les acides gras oméga-3. Elle est aussi une excellente source d'acide folique et comporte des concentrations appréciables de divers minéraux dont le calcium, le fer et le zinc.

De plus, on y trouve des isoflavones, qui sont des phytoestrogènes. Il s'agit de molécules d'origine végétale qui jouent un rôle similaire aux œstrogènes. La consommation de phytoestrogènes pourrait contribuer à diminuer les risques de certains cancers, entre autres le cancer du sein chez certaines femmes.

De plus, l'édamame est très riche en fibres, avec environ 7 g par 175 ml, ce qui correspond à 2 ou 3 tranches de pain multigrain.

Au supermarché, on la trouve au rayon des produits surgelés. Elle provient surtout d'Asie. Pour le moment, il n'y a que quelques producteurs bios au Québec qui cultivent l'édamame, et ils desservent une clientèle locale.

Comment la consomme-t-on?

Cette légumineuse gagne à être connue. Sa saveur est douce, et elle apporte une touche de croquant aux plats. De plus, elle est très simple à cuire : quelques minutes à la vapeur ou au micro-ondes. Vous pouvez mettre des édamames à la dernière minute dans une soupe pour l'enrichir et la transformer en soupe-repas. Elle remplace merveilleusement la viande et ajoute des protéines de qualité à une salade.

Servez-la aussi dans un petit bol en amuse-gueule. Les enfants l'adorent! Elle accompagne très bien l'apéro : cuisez les édamames avec leur cosse, puis une fois égouttées, arrosez-les d'un peu d'huile de sésame et salez. On mange l'édamame en enlevant les petits pois de leurs cosses fibreuses avec nos dents, ce qui permet de goûter le mélange de la fève, du sel et de l'huile.

Manger quand il fait chaud

. . .

En été, quand il fait chaud, il est préférable de manger des repas moins lourds en protéines et plus de légumes riches en eau, et de boire beaucoup d'eau.
On ne s'en portera que mieux!

La thermogénèse

est la chaleur que le corps produit en ingérant et en digérant la nourriture. Plus on mange d'aliments, plus notre corps génère de l'énergie, de la chaleur pour les digérer, métaboliser et absorber les nutriments. Cette chaleur prend de 12 à 18 heures à se dissiper.

Pour lutter contre cette chaleur, le corps met en branle des mécanismes destinés à réguler sa température. L'un d'eux est la perte d'appétit. Ce n'est donc pas un hasard si vous avez davantage le goût d'une salade que d'un gros steak les jours de grandes chaleurs. En ingérant des aliments riches en protéines comme les viandes, le poisson, les œufs et le fromage, vous faites grimper votre température corporelle. À l'inverse, la salade sera idéale pour abaisser la température, car il s'agit d'un ensemble d'aliments faibles en protéines et surtout, gorgés d'eau.

Transpiration et déshydratation

Pour se protéger des températures excessives, le corps met aussi en branle des mécanismes favorisant la dissipation de la chaleur. La transpiration, soit l'évaporation de la sueur, est un moyen très efficace pour se débarrasser d'un surplus de chaleur. De fait, il faut boire beaucoup pour éviter de se déshydrater et ainsi entraîner une perte de sels et de vitamines; la déshydratation peut causer de la fatigue, une diminution des capacités physiologiques et une augmentation du risque de malaises liés au coup de chaleur.

L'expérience des Africains

La chaleur fait partie du quotidien des Africains. Elle rythme leur vie et leur alimentation : à l'heure du dîner, il fait trop chaud pour manger, alors on fait la sieste. Et un peu plus tard, on prend un repas léger. Les hommes du désert, pour leur part, boivent beaucoup de thé à la menthe.

Le saviez-vous?

- Des trois principaux nutriments (protéines, glucides, matières grasses), c'est la consommation de protéines qui génère le plus de chaleur.

- Mettre un élément sucré dans la boisson améliore l'absorption de l'eau par l'organisme.

Les boissons alcoolisées et celles riches en caféine ont un effet diurétique favorisant la perte excessive d'eau et de sels, entraînant un risque de déshydratation.

Manger quand il fait froid

· · ·

Quand on rentre d'une activité hivernale, quoi de plus réconfortant qu'une soupe poulet et nouilles ou un bon chocolat chaud! Mais est-ce la meilleure façon de s'alimenter par temps froid?

L'hiver, l'humain brûle des calories à un rythme plus accéléré qu'en été. Par exemple, si on fait un effort à 0 °C, on dépensera 3 % plus d'énergie que si on le fournissait à 10 °C. Si on le fait à -10 °C, ce seront 6 % de plus, et ainsi de suite. Cette dépense d'énergie doit donc être compensée.

Le seul fait de manger produit une chaleur à l'intérieur du corps. On appelle cela la thermogénèse alimentaire. Le pouvoir thermique d'un aliment provient de sa teneur en protéines, en glucides et en lipides. Ce sont surtout les protéines qui mettent du bois dans notre «foyer intérieur», suivies des glucides, puis des lipides.

Le petit-déjeuner

Bonne raison pour choisir un trio œufs-bacon-toast et café pour le petit-déjeuner? Non, ça risque d'être lourd et long à digérer et vous ne serez pas très bien sur vos skis, vos raquettes ou à rouler dans la neige avec les enfants. Mieux vaut choisir du pain grillé et un café, ou encore un gros bol de gruau ou de crème de blé avec des fruits secs et des noix; vous devriez tenir plus longtemps.

Durant l'activité

Emportez une bouteille «thermos» de boisson chaude comme du café, du thé, du jus de pomme épicé, ou même de la soupe. Cela permet de garder le corps chaud lorsque l'activité physique est interrompue. Le lait chaud au chocolat est à privilégier, car il contient des protéines qui stimulent le métabolisme et qui vont produire un peu plus de chaleur, en plus des glucides. Par contre, lorsque l'activité est soutenue, comme en ski de fond ou quand on déneige l'entrée de la maison, le corps a plus besoin de s'hydrater que de se réchauffer. Avoir une bouteille d'eau à portée de main est donc une excellente idée.

Quant à ajouter de l'alcool dans votre tasse de café pour vous garder au chaud, sachez que l'alcool qui circule dans le sang fait se dilater les capillaires sanguins, ce qui laisse une impression de chaleur. Mais on la perd plus facilement à la surface de la peau parce que les capillaires sont tout ouverts.

Au retour

Un plat mijoté, un gratin, une fondue ou un chili bien relevé et protéiné vous réchaufferont le corps à coup sûr. En plus de leur effet thermique, les protéines favorisent la régénérescence du tissu musculaire après l'effort physique. Par ailleurs, il faudra opter pour des aliments plus salés lorsqu'on a effectué de grands efforts, pour récupérer ce sodium qu'on a perdu dans la transpiration. Inutile aussi de se priver d'aliments pimentés. Plus le mets est épicé, plus le «système de chauffage alimentaire» se mettra en branle!

Et pour grignoter?

Du fromage et des noix parce qu'ils ne gèleront pas. Les fruits secs et le chocolat, quant à eux, deviendront durs comme de la roche. Ou encore une tranche de pain tartinée de beurre d'arachides ou garnie de tartinade choco-noisettes qui sera réconfortante et ne gèlera pas.

Les probiotiques

· · ·

Depuis plus de 10 ans, on trouve sur le marché une série d'aliments contenant des probiotiques, c'est-à-dire des bactéries bénéfiques pour la santé. Leurs vertus sont maintenant bien connues et ils font partie intégrante de l'alimentation des Québécois.

Quelques définitions

Un aliment fonctionnel est un aliment auquel on a ajouté des produits, comme des probiotiques, qui ont des bienfaits pour la santé, démontrés par des études scientifiques.

Des probiotiques, ce sont des bactéries vivantes, de types lactobacilles et bifidobactéries, qui doivent être présentes en quantité suffisante dans l'aliment fonctionnel pour procurer des bienfaits pour la santé aux personnes qui les consomment.

Non seulement ces bactéries favorisent-elles la digestion et la régularité, mais certaines d'entre elles règlent aussi des désordres intestinaux. Des études montrent qu'il existe des probiotiques qui ont cette capacité de réduire le risque de développer des diarrhées associées aux antibiotiques. Dans certains cas, on parle même de réduire des diarrhées associées à la bactérie pathogène Clostridium difficile, aussi connue sous le nom C. difficile.

Bien que plusieurs personnes en consomment, les produits contenant des probiotiques attirent surtout les femmes, qui sont les plus enclines à les acheter, peut-être parce qu'elles sont plus touchées par ces problèmes.

Les probiotiques ne sont pas essentiels

Lorsqu'on a une bonne alimentation et pas de souci avec son transit intestinal, consommer des bactéries en supplément n'est pas nécessaire. Le simple fait de consommer un yogourt (sans probiotiques) suffit pour maintenir une bonne santé intestinale.

On trouve aussi sur le marché des probiotiques contenus dans d'autres aliments comme des jus, des céréales, et même des fromages.

Peut-on souffrir d'une surdose de probiotiques? Aucun cas de personnes ayant subi des effets négatifs à consommer trop de probiotiques n'a été répertorié.

Les prébiotiques

D'autres produits disent contenir des prébiotiques… Les prébiotiques sont des substances qui sont absorbées par les bactéries probiotiques, un genre de nourriture si on veut, pour favoriser leur croissance. Ainsi, le fait de consommer des prébiotiques avec des probiotiques contribue à la concentration de cellules vivantes dans l'intestin.

L'évolution du marché

Bien qu'il y ait peu de produits sur les tablettes, les études économiques montrent que dans le panier d'épicerie, les probiotiques ont la cote, particulièrement ceux qu'on trouve dans le yogourt. Cela s'explique par le fait que les produits laitiers, comme le yogourt, sont un bon vecteur de conservation et de transport des probiotiques, qui y survivent longtemps et bien. L'enthousiasme des consommateurs a encouragé le gouvernement à faire quelques changements législatifs pour réguler le marché. Depuis avril 2009, Santé Canada demande aux fabricants d'indiquer sur les étiquettes, de façon explicite, le nom latin de la bactérie ainsi que son numéro de souche ou sa dénomination.

De plus, les industriels ont dû se soumettre aux nouvelles normes qui exigent des concentrations minimales de bactéries afin d'uniformiser tous les produits, de les rendre conformes aux consensus obtenus sur le plan scientifique. La quantité réglementaire est maintenant de un milliard de bactéries probiotiques par portion. Cette quantité minimale est nécessaire pour que les bactéries survivent à l'acidité lors de leur passage dans l'estomac et réussissent à se rendre en grand nombre dans l'intestin, là où l'on veut qu'elles agissent pour nous procurer des bienfaits.

Autre changement : avant les nouvelles normes, on pouvait voir le mot «defensis» sur certains pots de yogourt. Cela laissait entendre que ces produits étaient une défense contre quelque chose, sans préciser quoi exactement. Maintenant, on voit des messages qui sont prouvés, mais un peu moins percutants. Par exemple, «cliniquement prouvé», ou encore des mentions à l'effet que des études cliniques indiquent, suggèrent ou démontrent que les produits ont «une action sur le confort digestif».

Réduire le gras de certains desserts

•••

Est-il possible de réduire la quantité de gras des gâteaux, biscuits ou muffins sans faire trop de compromis? Oui! Voici comment.

On peut couper de moitié la quantité de gras des recettes de biscuits, gâteaux, muffins et brownies sans trop sacrifier ni de leur volume, de leur couleur, de leur texture ni du plaisir gustatif.

Les gâteaux

Pour prouver que c'est possible, *L'épicerie* a cuisiné trois gâteaux. Le premier a été préparé selon la recette habituelle, soit avec 125 ml de beurre. Pour le deuxième, on a utilisé la moitié du gras, soit 60 ml de beurre. Et pour le troisième, on a complètement remplacé le gras par 125 ml de purée de banane. Résultat? Les trois versions étaient savoureuses.

Les quatre rôles du gras dans la pâtisserie

Il empêche le développement du gluten, une protéine un peu élastique qui se forme lorsque la farine est mélangée avec les liquides. Si le développement du gluten est souhaitable dans le pain – c'est ce qui permet de le trancher et de le beurrer sans qu'il se défasse en miettes –, pour un gâteau, on recherche plutôt une mie friable et tendre.

Il rend la mie plus humide, ce qui contribue à sa texture moelleuse. Le gras stimule aussi la salivation et agit un peu comme un lubrifiant qui facilite la mastication. Un gâteau réduit en gras semblera plus sec et il faudra davantage de salive pour en avaler un morceau.

Il contribue à aérer le gâteau. S'il ne contient pas suffisamment de gras, il ne lèvera pas autant. En effet, lorsqu'on bat le beurre avec le sucre, le beurre retient les bulles d'air incorporées, ce qui permet au gâteau de mieux lever.

Il aide à la conservation du produit. Les matières grasses empêchent l'amidon de la farine de rassir. Le gâteau séchera moins rapidement, et donc se conservera plus longtemps.

Les biscuits

Pour vérifier s'il est possible de diminuer la quantité de gras dans les biscuits, nous avons suivi la recette inscrite à l'arrière d'un sac de brisures de chocolat qui demandait 250 ml de beurre. On l'a ensuite refaite avec la moitié du beurre. Puis une troisième fois en utilisant 125 ml de beurre et, étonnant, 125 ml de purée de haricots blancs. Résultat? Avec la moitié du gras, les biscuits se sont moins étalés et étaient un peu plus dodus. Et les biscuits préparés avec le mélange de beurre et de haricots avaient plutôt la texture de galettes.

Le verdict

De toute évidence, il est possible de remplacer une partie du gras dans nos desserts. On peut couper le beurre de moitié et mettre à la place de l'autre moitié une purée de légumineuses, de légumes ou de fruits. Mais il faut les consommer plus rapidement, car ils se conservent moins bien.

Sachez aussi que vous pouvez remplacer le beurre par une huile plus santé. Dans une recette de muffins, par exemple, utilisez de l'huile de canola, qui a une saveur neutre.

Muffin moins gras

Même un muffin santé renferme sa part de gras bien caché. Dans la plupart des recettes de muffins ou de pains aux fruits, il est possible de remplacer une partie de la quantité recommandée d'huile ou de beurre par un autre aliment plus léger. Le quart ou même la moitié du gras peut être remplacé par du yogourt ou une purée de fruits. Une banane décongelée convient à merveille. Vous obtiendrez ainsi un goût délicieux et une texture moelleuse, tout en ayant limité l'apport calorique.

La vitamine D

• • •

Plus de 80 % de la population canadienne est en déficit de vitamine D. Celle qu'on appelle aussi la vitamine soleil est la seule que notre alimentation ne peut nous fournir en quantité suffisante. Et pour cause, car on la trouve dans de rares aliments.

Son rôle

La vitamine D facilite l'absorption et la fixation du calcium dans les os en plus d'agir sur le système immunitaire, l'humeur, les inflammations, le système cardiovasculaire, le diabète, etc. Les rayons ultraviolets B (UVB) du soleil sont la principale source naturelle de vitamine D. Grâce à des récepteurs présents dans 80 % de nos cellules, les rayons UVB agissent sur le cholestérol au contact de notre peau. Ils se transforment en hormones et stimulent notre système immunitaire. C'est pour cette action précisément qu'on traitait autrefois les tuberculeux en les envoyant prendre du soleil dans un sanatorium.

Question de soleil

À notre latitude toutefois, de septembre à mars, il y a très peu de rayons UVB dans le soleil. Si on n'a pas fait de réserves durant la belle saison, on se retrouve donc en déficit.

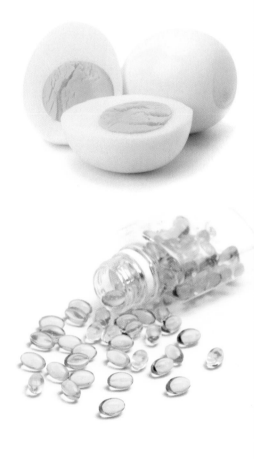

L'alimentation est une autre source de vitamine D. Mais on la trouve dans très peu d'aliments, ce qui ajoute à la difficulté d'en consommer suffisamment. À titre d'exemple, une portion de 100 g d'un poisson gras comme le saumon, le thon, le hareng, le flétan ou la sardine fournit autour d'un dixième de nos besoins quotidiens. Un verre de lait ou un jaune d'œuf nous en procure environ le vingtième.

Les valeurs recommandées

Depuis peu, Santé Canada établit à 600 unités nos besoins quotidiens en vitamine D, alors que selon notre âge, la communauté scientifique l'établit plutôt entre 1 000 et 2 000 unités. À ce compte-là, il faudrait boire de 10 à 20 verres de lait par jour pour répondre à nos besoins… Ce qui fait dire à certains experts que pour un ou deux cents par jour, il vaut mieux opter pour une supplémentation. À l'instar des autorités sanitaires et des nutritionnistes, qui recommandent de satisfaire nos besoins vitaminiques avec notre alimentation.

Les gras trans

...

En 2005, le gouvernement fédéral amorce la chasse aux gras trans. Il oblige notamment les fabricants à indiquer sur l'étiquette des produits alimentaires la présence de gras trans et, dans la foulée, met en place un organisme de surveillance. Mais depuis 2009, cet organisme n'existe plus et Santé Canada privilégie l'approche volontaire.

Qu'est-ce que le gras trans?

Au début du XXᵉ siècle, l'industrie agroalimentaire découvre l'hydrogénation partielle, un procédé qui permet de faire passer les huiles végétales d'un état liquide à un état semi-solide. On appelle le corps gras ainsi obtenu les «acides gras trans».

En cuisine, les gras trans permettent tantôt d'assurer à la margarine sa texture moelleuse, tantôt la surface croquante aux biscuits. Le gras reste également dans le produit au lieu de s'écouler sur les doigts et dans l'emballage. L'hydrogénation permet aussi une plus longue durée de conservation des produits finis.

Or, il y a un peu plus de 10 ans, on a découvert que les gras trans sont les pires gras qui soient pour la santé! Ils peuvent augmenter le taux de mauvais cholestérol chez l'humain et diminuer le taux de bon cholestérol. C'est probablement la pire forme de gras en ce qui concerne les artères et les maladies qui touchent les artères. En d'autres termes, les gras trans bouchent les artères menant au cœur et au cerveau. Ils contribuent donc à augmenter les risques de maladies coronariennes et d'accidents vasculaires cérébraux. À quantité égale, ils sont au moins cinq fois plus nocifs que les graisses saturées. Toute une réputation!

Les changements dans l'industrie

Pour toutes ces raisons et de concert avec de nombreuses associations et fondations médicales, les autorités sanitaires des pays industrialisés déclarent la guerre aux gras trans. Santé Canada rend obligatoire l'affichage de la teneur en gras trans dans le tableau des valeurs nutritives des aliments transformés et incite l'industrie à se conformer de manière volontaire aux limites suivantes :

- 2 % du contenu total en gras dans les huiles végétales et les margarines à tartiner;
- 5 % du contenu total en gras dans les aliments transformés.

Les enfants, les plus à risque

Les enfants ont besoin de l'apport calorique provenant des gras pour leur croissance. Parce qu'ils mangent proportionnellement plus de gras que les adultes, ils sont plus à risque. Or les gras trans se cachent souvent dans leurs collations préférées. Par exemple, un sac de maïs soufflé cuit au micro-ondes peut contenir jusqu'à 12 g de gras trans et un simple biscuit, 1 g! On peut donc facilement dépasser les 10 g par jour, alors que la valeur maximale quotidienne conseillée est de seulement 1 g… À ce rythme, les enfants vont remplir leurs artères de lipides et faire des infarctus plus tôt que leurs parents!

Pendant deux ans, le Programme de surveillance des gras trans a alors pour mandat d'observer comment l'industrie s'ajuste aux recommandations. Il est même question que les limites en gras trans conseillées deviennent obligatoires. Consciente qu'on la surveille, l'industrie alimentaire modifie ses recettes. Le Programme de surveillance montre clairement qu'elle s'est attelée à réduire la teneur en gras trans dans ses aliments, et ce, pour les trois quarts des produits. Le succès est encore plus significatif du côté de la restauration rapide, qui les a pratiquement éliminés dans les frites ou autres fritures!

Mais en 2009, Santé Canada cesse de jouer son rôle de surveillance officielle et préfère maintenir l'approche volontaire en espérant que l'industrie se conforme aux recommandations. Même si les compagnies d'ici sont conscientes du danger, rien ne les empêche d'importer des produits riches en gras trans.

Une étude de l'Université de Toronto réalisée entre 2011 et 2013 révèle que 25 % des 11 000 produits analysés contiennent encore trop de gras trans. Pâtisseries, glaçage, croissants, tartelettes, maïs soufflé, shortening… la liste est longue. Et le hic, c'est que beaucoup de ces produits sont consommés par les enfants.

Comment lire les étiquettes

Il incombe donc au consommateur d'être plus vigilant. Pour savoir si un produit contient des gras trans, il faut consulter le tableau des valeurs nutritives. Mais attention, ne pas se fier à la colonne du pourcentage de la valeur quotidienne. Il faut plutôt regarder la quantité de gras trans indiquée en grammes et garder en tête qu'elle ne doit pas dépasser 1 g pour toute la journée!

Avec ou sans gras trans?

Regardez la liste des ingrédients et cherchez les termes «hydrogéné» ou «shortening». Pourquoi? Parce que même si l'étiquette et le tableau des valeurs nutritives indiquent 0 gras trans, sachez que la loi permet que le produit en contienne des traces…

Le sucre

...

À en croire les dernières publications scientifiques,
non seulement le sucre vous rend malade,
mais il peut aussi vous empoisonner à petit feu!
Le sucre est désormais le nouvel ennemi à abattre.
L'épicerie s'est penchée sur la question.

À plusieurs reprises, *L'épicerie* a traité des effets néfastes du sucre sur la santé. En 2010 et en 2011, nous avons montré le rôle qu'il joue dans l'épidémie d'obésité en Amérique du Nord et la relation de dépendance que plusieurs individus entretiennent avec cet aliment. Nous avions aussi mis en relief l'action du sucre sur le cerveau : il stimule la sécrétion d'hormones du plaisir comme la dopamine et la sérotonine. Ce sont les mêmes que celles qui s'activent chez un fumeur ou un héroïnomane. Les recherches du professeur Robert Lustig et de son équipe de l'Université de Californie à San Francisco vont cependant plus loin encore : elles concluent que le sucre est toxique!

Ravages du fructose

Les chercheurs américains démontrent que les différents sucres que nous ingérons sont décodés distinctement par le cerveau et métabolisés différemment par le système digestif et le foie. Leur article «The toxic truth about sugar» (la vérité toxique sur le sucre), publié dans la revue Nature, dénonce surtout les ravages du fructose. Ce type de sucre, lorsque consommé de façon excessive, agirait comme une toxine, au même niveau de danger que le tabac et l'alcool.

Aux États-Unis, ce sucre est connu sous le nom de HFCS, pour *High Fructose Corn Syrup*, ou sirop de maïs à haute teneur en fructose. Ici, on l'appelle glucose-fructose. Ce type de sucre est massivement utilisé depuis 40 ans comme édulcorant dans les aliments transformés. Le hic, selon les chercheurs américains, c'est qu'il est responsable de l'augmentation du diabète et de l'obésité chez nos voisins du Sud. Il est aussi toxique pour le foie et est à l'origine de l'hypertension artérielle, de plusieurs sortes de cancers et autres maladies cardiovasculaires. Son autre particularité? Le fructose est imperceptible pour l'hypothalamus, cette glande sécrétant l'hormone de satiété qui dit au cerveau qu'on a assez mangé.

Les principaux sucres ajoutés

- **Le sucre, ou sucrose :** blanc ou roux, il est extrait de la betterave ou de la canne à sucre;

- **Les sirops de glucose,** obtenus à partir de l'amidon de maïs ou de blé, utilisés surtout en confiserie, en biscuiterie;

- **Les sirops de glucose-fructose,** préparés à partir de sirops de glucose (une partie du glucose est transformée en fructose); ils sont utilisés surtout dans les boissons gazeuses et énergisantes, les crèmes glacées, les biscuits, le pain, etc.;

- **Le miel,** issu du nectar des fleurs, **le sirop d'érable** ou **d'agave.**

Comme on trouve le fructose en plus grande quantité dans notre alimentation que le sucre blanc ordinaire, le professeur Lustig conclut que le HFCS est l'ennemi numéro un de la santé publique aux États-Unis. Sa solution? Interdire les boissons gazeuses aux moins de 17 ans, comme on le fait déjà pour le tabac et l'alcool. En effet, ces boissons contiennent beaucoup de ce type de sucre et sont fortement consommées par les jeunes.

Chez nous, les études montrent que les patients qui répondent à des troubles du métabolisme du sucre éprouvent des symptômes de rage de faim, de boulimie, d'hyperphagie, de fatigue, d'irritabilité et beaucoup de changements de l'humeur à certains moments de la journée. Symptômes que réfute l'industrie. Elle remet carrément en question la démarche scientifique de ces études et se défend en prétendant qu'elle offre une énorme gamme de produits réduits en sucre et qu'au bout du compte, c'est au consommateur de choisir.

Besoin de sucre?

Pour vivre, l'être humain a physiologiquement besoin de glucides. C'est un carburant permettant à nos cellules de produire de l'énergie. Les glucides devraient constituer de 55 à 60 % de notre ration calorique quotidienne. On les obtient naturellement dans les fruits, les légumes, les céréales complètes et les légumineuses. Toutefois, c'est davantage le sucre ajouté qui nous préoccupe, car il se trouve presque partout dans les aliments transformés.

Selon l'Organisation mondiale de la Santé (OMS), la part du sucre ajouté ne devrait pas dépasser 10 % de tous les glucides consommés quotidiennement, ce qui représente 25 g. De ce fait, on n'a donc pas «besoin» de ce sucre ajouté, puisque les glucides présents naturellement dans certains aliments suffisent à répondre à nos besoins énergétiques.

Une industrie effarouchée

Les États-Unis sont le deuxième plus gros producteur de sucre du monde, derrière le Brésil. En 1977, l'imposition de quotas sur le sucre importé aux États-Unis fait doubler le prix de la denrée, ce qui favorise le recours au fructose pour sucrer les aliments transformés. Diverses études scientifiques ne tarderont pas à le lier aux problèmes de santé en Occident. Pour lutter contre l'obésité, par exemple, l'OMS tente en 2005 de faire adopter la résolution 916, qui vise entre autres à limiter à 10 % l'apport calorique autorisé provenant du sucre ajouté dans les aliments. Sous les pressions de l'industrie, le gouvernement étatsunien finit par menacer l'OMS de lui retirer son financement si elle adopte la résolution et si elle promeut la réduction de sucre dans l'alimentation. Solidaires, l'industrie sucrière et Washington contestent ainsi la validité de toutes les études qui prétendent établir un lien de cause à effet entre le sucre et l'obésité.

Le concept de toxicité du sucre

C'est une notion récente en santé publique. Et les agences de réglementation évitent le sujet. De son côté, l'industrie alimentaire ne voit aucun problème à l'ajout de sucrose, glucose, fructose… pour bonifier le goût des aliments. Selon elle, on consommerait tout au plus l'équivalent d'une boisson gazeuse par jour en sucre ajouté, c'est-à-dire 43 ml. En réalité, on en consomme plus de 200 ml par jour. Soit environ 60 kg par année!

Il faut dire que l'industrie agroalimentaire ne nous facilite pas la tâche en matière de surconsommation de sucres ajoutés. Pour savoir si ce sont des sucres naturels ou des sucres ajoutés qui se trouvent dans un produit, il est essentiel de lire la liste des ingrédients.

Bonne nouvelle : Santé Canada a annoncé récemment que le pourcentage de la valeur quotidienne recommandée (% VQ) en sucre devra dorénavant figurer dans le tableau des valeurs nutritives. La date d'entrée en vigueur de cette directive n'a toutefois pas été précisée. Les critiques fusent déjà : la principale est que la quantité de sucres totaux à consommer dans une journée serait trop élevée. Santé Canada l'établit à 100 g, sans distinction entre le sucre ajouté et le sucre naturel, alors que l'OMS recommande un maximum de 25 à 50 g de sucre ajouté ou 10 % de tous les besoins quotidiens en glucides.

Manger végétarien sans risque de carences

• • •

Un Canadien sur vingt est végétarien. Mais exclure de son alimentation la viande, la volaille et le poisson peut amener des carences nutritionnelles, à moins d'incorporer à son menu des aliments clés.

Que ce soit pour des raisons de santé, par conviction religieuse, écologique ou éthique, les végétariens purs et durs excluent de leur alimentation la chair et tout ce qui vient de l'animal, même la gélatine et le bouillon, par exemple. En Occident, la forme de végétarisme la plus répandue est l'ovo-lacto-végétarisme. C'est-à-dire qu'on s'interdit la viande tout en conservant les œufs, les produits laitiers et le miel. Mais manger végétarien n'est pas sans risque. D'où l'importance d'avoir une alimentation saine et variée pour éviter toute carence.

Quoi mettre dans son chariot

Pour remplir son chariot d'épicerie de façon adéquate, il faut choisir des aliments riches en protéines, en calcium, en fer et en vitamine B12.

Chaque repas doit contenir un minimum de 15 g de protéines pour que notre énergie dure tout au long de la journée. Il est facile de trouver des protéines ailleurs que dans la viande.

Par contre, seules les protéines animales sont complètes, car elles contiennent tous les acides aminés essentiels à la croissance et au maintien de l'organisme. Ce qui n'est pas le cas des protéines végétales, exception faite du soya, qui doivent être complétées avec un autre aliment, telle une céréale.

Les légumineuses

Y figurent les pois chiches, lentilles, haricots et fèves de soya. Ce sont d'excellentes sources de protéines, faibles en matières grasses et riches en fibres. Une tasse de pois chiches contient 10 g de protéines, soit l'équivalent de ce que procurent 85 g de viande. Les noix, les graines et les boissons de soya sont d'autres sources de protéines végétales. On trouve aussi des protéines dans les produits céréaliers comme le riz, l'avoine, le seigle et le quinoa. Sans oublier que les noix de Grenoble et les graines de lin, de chanvre ou de citrouille sont également d'excellentes sources d'oméga-3, bénéfiques à la santé du cœur. Du côté des simili-viandes, on offre des végéburgers, qui contiennent déjà 9 g de protéines, ce qui en fait un produit intéressant.

Quelques exemples de protéines végétales *

Aliment	Protéines (grammes)
Tofu, ordinaire, ferme ou extra-ferme – 175 ml (¾ t)	21
Graines de citrouille (décortiquées) – 60 ml (¼ t)	19
Saucisse fumée, sans viande – 1	14
Lentilles et haricots cuits ou en conserve (égouttés) – 175 ml (¾ t)	de 9 à 13
Beurre d'arachides ou de noix – 30 ml (2 c. à soupe)	de 5 à 8
Boisson de soya enrichie – 250 ml (1 t)	7
Noix mélangées (écalées) – 60 ml (¼ t)	6
Pain multigrain, aux grains entiers – 1 tranche	4
Pâtes de grains entiers – 125 ml (½ t) (cuites)	4
Riz, brun – 125 ml (½ t) (cuit)	3

*Source : Les diététistes du Canada

Le calcium

Le kale, ou chou frisé, tout comme le brocoli, le chou chinois et l'okra, sont une bonne source de calcium. Chez les légumineuses, optez pour les amandes et le tofu. Ces aliments contiennent aussi du fer. Sauf que le fer de source végétale est moins bien absorbé que celui de source animale. Toutefois, la présence de vitamine C au même repas en permet l'absorption. Il est donc important de consommer de la vitamine C sous forme de fruits et de légumes ou encore de jus de fruits à chaque repas.

Des suppléments

Quant à consommer des suppléments, il faut savoir que l'excès de fer est aussi dangereux que sa carence. Voilà pourquoi il ne faut pas négliger de procéder régulièrement à un bilan sanguin si l'on a un doute à ce sujet.

Si l'on désire réduire sa consommation de lait de vache, les boissons végétales comme la boisson de soya sont alors parfaites! Pourvu qu'elles soient enrichies en calcium et en vitamine D. Par ailleurs, comme la vitamine B12 se trouve naturellement et uniquement dans les produits d'origine animale, si une personne fait une croix sur les produits laitiers et les œufs, il est recommandé qu'elle prenne des suppléments de vitamine B12. Une carence de cette vitamine peut notamment entraîner de graves dommages neurologiques.

Liste des ingrédients clés pour les ovo-lacto-végétariens

- Légumineuses
- Noix et graines
- Boissons de soya
- Simili-viandes (saucisses, boulettes)
- Tofu
- Houmous
- Œufs
- Yogourt
- Beurre d'amandes ou d'arachides

Le régime paléolithique

• • •

Un régime ancien pour guérir des maux modernes?

Ce n'est un secret pour personne, la surconsommation de malbouffe et les problèmes de surpoids qui en découlent sont des fléaux de notre ère moderne. Pour les contrer, une multitude de régimes ou de méthodes amaigrissantes ont vu le jour. Montignac, Atkins, Weight Watchers, régime végétarien, macrobiotique… la liste est longue.

De plus, notre alimentation serait responsable d'affections comme l'obésité, le diabète et les maladies cardiovasculaires. Voilà ce qu'avancent les tenants du régime paléolithique, qui fait des adeptes en Occident. Selon eux, le remède aux maux modernes est de retourner au type d'alimentation des hommes de Cro-Magnon, qui se nourrissaient grâce à la chasse et à la cueillette.

Hier comme aujourd'hui, même génome

Il y a 200 000 ans, comme l'agriculture n'était pas encore inventée, l'homme vivait essentiellement de la chasse et tirait parti des ressources disponibles dans la nature : viandes et légumes presque crus, racines, petits fruits ou noix.

Selon le Dr S. Boyd Eaton qui, en 1985, publie dans le *New England Journal of Medicine* l'article «*Paleolithic Nutrition*», le génome humain aurait peu évolué en 40 000 ans. Ce scientifique avance que nous possédons les mêmes gènes que nos ancêtres. Et comme ce sont les gènes qui déterminent nos besoins nutritionnels, l'alimentation de l'âge de la pierre nous conviendrait. C'est plutôt l'alimentation transformée actuelle qui ne serait pas en phase avec notre génome, selon le chercheur.

Au fil des années, scientifiques et paléontologues font un lien entre l'apparition de certaines maladies (diabète, obésité) et la sédentarisation de l'homme et la pléthore de produits alimentaires transformés et raffinés.

Les chercheurs utilisent aussi le régime paléo pour traiter des maladies comme la sclérose en plaques, l'arthrite rhumatoïde ou encore la fibromyalgie. En 2005, Loren Cordain, docteur en éducation physique, publie le livre à succès *The Paleo Diet*. Adapté à la culture américaine, l'ouvrage décrit le régime tel qu'on devrait le suivre à notre époque.

Le régime paléo, c'est quoi?

Le régime paléolithique se compose donc de protéines, de fibres, de vitamines, d'oméga-3 et d'antioxydants. Notons qu'il est faible en glucides et qu'on n'y compte pas les calories. Il se résume à consommer des fruits et des légumes frais, des noix, du poisson ou de la viande peu cuite. Exit les produits céréaliers et laitiers, qui, il faut le rappeler, représentent deux des quatre groupes alimentaires établis par le Guide alimentaire canadien. Bien entendu, les aliments transformés sont proscrits, tout comme les viandes grasses, les légumineuses, les aliments salés, en conserve ou sucrés.

Pour qui?

Quand on exclut deux groupes alimentaires, on perd nécessairement du poids, ce qui est susceptible d'en séduire plus d'un. En revanche, consommer des gras saturés qu'on trouve dans les viandes rouges risque d'entraîner des problèmes de santé. Sans oublier que les menus peuvent vite devenir monotones et difficiles à suivre en société ou en voyage.

De plus, comme cette approche intègre aussi l'activité physique, elle est fort populaire auprès des sportifs. Par contre, exclure les produits céréaliers, sources de glucides, de son régime est une grande lacune pour ceux qui font de l'effort d'endurance. À cause de cela, ce régime ne fait pas l'unanimité parmi les nutritionnistes sportifs.

Les aliments pour sportifs

La tendance est à la course à pied. Pas étonnant de voir les compagnies emboîter le pas en nous proposant une variété de produits alimentaires pour nous aider à atteindre la ligne d'arrivée. Mais sont-ils vraiment nécessaires?

Gels, barres, bouchées, liquides… les aliments pour sportifs représentent un marché mondial de 10 milliards de dollars, dont les deux tiers en Amérique du Nord. Ces produits servant à améliorer la performance physique trônent sur les rayons des boutiques spécialisées et de plein air ou dans les gymnases. Aujourd'hui, certains occupent même les tablettes des épiceries, souvent près des caisses, histoire de stimuler l'achat impulsif! Les compagnies tenteraient-elles d'appâter tant les athlètes que les sportifs du dimanche, avec les mêmes aliments?

Il faut dire qu'au départ, ces produits étaient destinés aux sportifs de haut niveau et aux culturistes, mais de plus en plus de sportifs occasionnels (et branchés) en deviennent adeptes. Pas étonnant, car les mots affichés sur les emballages de ces produits énergétiques ne sont pas anodins : «énergie», «performance», «endurance», «puissance»… autant de termes séduisants pour les sportifs.

En effet, certains de ces produits fournissent un apport en protéines ou en glucides, véritables carburants pour le corps. D'autres sont conçus pour procurer à l'organisme des sels minéraux pour remplacer ceux perdus avec la sueur. Sans oublier qu'ils sont très pratiques : en randonnée à pied ou à vélo, on n'a qu'à ouvrir l'emballage, en avaler quelques bouchées et hop! on peut repartir!

Les vrais besoins

Les glucides représentent la première source d'énergie que le muscle utilise. De ce fait, les produits en gel qui offrent une source rapide de glucides peuvent être tentants. Mais attention! D'une part, ils contiennent autant de glucides qu'une poignée de bonbons, beaucoup moins coûteuse. D'autre part, il est essentiel de les consommer avec de l'eau, ce que peu d'étiquettes mentionnent. En effet, s'ils ne sont pas dilués correctement, les glucides ne sont pas bien absorbés. À titre d'exemple, les gels qui contiennent entre 20 et 25 g de glucides devraient être consommés avec 500 ml de liquide. Un pensez-y bien si vous souhaitiez alléger vos bagages en emportant ces produits!

De plus, quand on fait de l'exercice, on transpire. En transpirant, on perd de l'eau, mais aussi des sels minéraux, dont du sodium. Pour contrer cette perte, certains produits offrent, en plus des glucides, un apport en sodium. Par contre, la plupart ne contiennent pas suffisamment de sodium pour remplacer les pertes habituelles. Et en bas d'une heure d'activité, il n'est pas nécessaire d'en consommer en surplus, l'alimentation en fournit suffisamment.

Lorsqu'on s'adonne à une activité physique, le corps a besoin de protéines, de glucides, de sodium et d'eau, selon l'intensité de l'effort et sa durée.

Le bœuf sans hormones

• • •

Dans le domaine de la restauration, certains prétendent que leur bœuf ne contient pas d'hormones. Si c'est le cas, doit-on craindre le bœuf qui en contient?

Nous sécrétons tous des hormones au long de notre vie; celles-ci régulent des processus vitaux normaux dans notre organisme : métabolisme, sommeil, croissance, puberté... Mais, utilisées pour engraisser les animaux de boucherie, elles ont souvent mauvaise presse. La croyance populaire attribue aux hormones des cas de cancer et la puberté précoce.

Le Canada permet leur emploi, contrairement à l'Europe. En Amérique du Nord, 90 % des éleveurs administrent des hormones à leurs animaux destinés à la boucherie, surtout les bovins. Pour d'autres élevages, comme le poulet, on n'utilise pas d'hormones, car la durée de vie des volailles est si courte que le gain serait négligeable. Le porc et le veau n'en reçoivent pas non plus.

Pourquoi administrer des hormones?

L'effet des hormones stéroïdiennes est de favoriser l'anabolisme, soit la conversion des aliments en masse musculaire, donc en viande. Cela permet de produire plus de bœuf, plus rapidement, avec moins d'aliments. Le bœuf est prêt pour l'abattage en 8 à 10 mois plutôt qu'en 12, ce qui se traduit par une économie de nourriture, de temps et d'argent. Des milliers de dollars chaque année, de quoi rester concurrentiel sur le marché et offrir un meilleur prix au consommateur.

Est-ce qu'on trouve ces hormones dans la viande qu'on mange?

Les traces d'hormones dans la viande sont infimes. Pour le bœuf, par exemple, les quantités résiduelles sont de 3,75 nanogrammes dans 250 g de bœuf naturel, et de 5,5 dans le bœuf traité. L'Organisation mondiale de la Santé considère cela comme tout à fait sécuritaire.

Quelques comparaisons

Vous pourriez préférer ne plus consommer de bœuf, mais vous mangeriez des hormones quand même. Par exemple :

• On estime que le taux d'œstrogène que produit une femme en une seule journée est 36 000 fois plus élevé que la quantité contenue dans un steak;

• Un verre de lait contient à peu près 10 fois plus d'œstrogènes qu'un steak de 250 g;

• Un œuf provenant d'une poule qui a des ovaires, donc qui produit des œstrogènes, contient à peu près 45 fois plus d'œstrogènes qu'un steak de bœuf implanté (c'est-à-dire qui reçoit des hormones).

Et même si vous songiez à devenir végétalien, sachez que le chou et le soya, par exemple, contiennent des centaines de fois plus d'hormones que votre steak!

Les boissons énergisantes

....

Le marketing qui entoure actuellement les boissons énergisantes est très puissant et vise principalement les jeunes. Cependant, Santé Canada a reçu de nombreux signalements à propos d'effets indésirables causés par ces boissons. Car elles sont loin d'être banales et leur consommation n'est pas sans conséquence sur la santé.

Jusqu'à tout récemment, il était difficile de connaître la quantité exacte de caféine contenue dans les boissons énergisantes, car sa teneur était le plus souvent absente des étiquettes. Une réglementation fédérale oblige maintenant les fabricants à en indiquer la concentration, en plus d'en limiter la dose à un maximum de 180 mg pour 500 ml. Mais cela ne règle pas tout, car la réglementation ne tient pas compte des formats de type «shooter», qui en une ou deux gorgées seulement nous procurent généralement 200 mg de caféine.

Dépendance?

La caféine est une molécule active. Et comme toutes les molécules actives, à une certaine concentration, elle nous fait ressentir des effets bénéfiques. Si à petite dose on se sent plus alerte, à forte dose et en la mélangeant avec de l'alcool, on peut subir des effets secondaires handicapants et parfois même mortels. Consommée en grande quantité et quotidiennement, la caféine peut induire un syndrome qu'on appelle le caféinisme, causant irritabilité, agitation, palpitations et soubresauts musculaires.

Comme pour la drogue, il se crée de l'accoutumance et une dépendance à la caféine). À l'arrêt de sa consommation, il n'est pas rare de ressentir des symptômes de sevrage, qui se manifestent par des maux de tête, de la fatigue et par un manque de concentration.

Dose quotidienne maximale recommandée

La caféine se trouve partout : dans le chocolat, les friandises, les boissons gazeuses, le thé et même dans certains comprimés contre le mal de tête! On peut donc facilement l'accumuler sans s'en rendre compte, particulièrement les enfants, car ils consomment plusieurs aliments qui en contiennent.

Voici les doses qu'on ne devrait pas dépasser :

• Pour un adulte, 400 mg par jour, ce qui équivaut à environ 4 tasses de café;

• Pour les enfants, la limite est de 2,5 mg par kilo de poids. Par exemple, les jeunes de 4 à 6 ans dont le poids est dans la moyenne ne devraient pas consommer davantage que 42 mg de caféine par jour.

Bref, la prudence semble de rigueur quant à notre consommation quotidienne de caféine et on a avantage à bien lire les étiquettes pour ne pas subir les conséquences de l'abus de cette molécule!

Mélange caféine et alcool

Il existe un phénomène inquiétant qui se répand chez les jeunes, jusque dans les bars : le mélange de caféine et d'alcool. À haute dose de caféine, ce cocktail devient explosif et dangereux. Facile à comprendre : l'alcool grise et la caféine stimule. On se sent donc en pleine forme, mais la caféine masque le fait que nos facultés sont affaiblies...

La caféine s'élimine très lentement

La caféine a une demi-vie de quatre à six heures environ. Ce qui signifie que de quatre à six heures après avoir consommé 100 mg de caféine, il en restera 50 mg dans notre organisme, puis de quatre à six heures plus tard encore, 25 mg, et ainsi de suite. Il faudrait donc à notre organisme jusqu'à 24 heures pour éliminer toute la caféine que procure la consommation d'une boisson énergisante.

Les boissons protéinées

• • •

Elles ont été créées dans les milieux hospitaliers pour permettre à certains patients de s'alimenter. Mais voilà que maintenant, elles trouvent preneurs parmi les jeunes adultes en santé. Doit-on s'en préoccuper?

Les personnes âgées ou les patients hospitalisés sont exposés à la fois à un risque de dénutrition et de déshydratation. Ils ont tendance à restreindre leur alimentation pour diverses raisons : maladie, perte d'appétit, isolement, dépression… Pour pallier les carences alimentaires, on leur propose souvent des boissons protéinées, faciles à consommer.

Ces boissons vendues en pharmacie et en épicerie prétendent remplacer un repas. Elles sont principalement composées de protéines, de glucides, de lipides, de vitamines et de minéraux, mais ne contiennent pas de fibres. Pour être conformes à la réglementation fédérale canadienne, elles doivent procurer un minimum de 225 calories, ce qui les rend aptes à remplacer un repas complet.

Le marché

Les boissons protéinées ont pénétré le marché grand public depuis longtemps, au point même que les grandes chaînes d'épiceries en offrent sous leur marque maison. De nos jours, les compagnies se tournent vers la clientèle des 25 à 45 ans, au style de vie moderne, souvent pressée et alléchée par l'alimentation prête à emporter, offerte à prix abordable (environ deux dollars la portion).

Pour amateurs de muscles

Il existe également des produits qui visent un tout autre public, intéressé à gagner de la masse musculaire. Très riches en protéines et pauvres en glucides, certains de ces produits contiennent 25 g de protéines par portion, ce qui est énorme! C'est pratiquement l'équivalent de deux petites poitrines de poulet ou deux tranches de steak.

Un dépanneur

Consommer des boissons protéinées devrait être exceptionnel : elles entretiennent le goût du sucré et contiennent des saveurs ajoutées. Bref, elles sont loin de valoir un beau morceau de saumon avec une sauce à l'érable, des asperges à la dijonnaise et un riz au jasmin…

Délice matinal tout-en-un *

Voici une recette pour préparer vous-même un savoureux lait frappé-repas.

- 125 ml (½ t) d'un mélange de petits fruits
- 250 ml (1 t) de lait entier
- 15 ml (1 c. à soupe) de poudre de lait écrémé
- 125 ml (½ t) de céréales de son de type All-Bran
- 15 ml (1 c. à soupe) de blancs d'œufs liquides pasteurisés
- 5 ml (1 c. à thé) de miel pasteurisé

Placez les ingrédients dans un mélangeur et laissez reposer 1 minute.
Mélangez jusqu'à consistance lisse et servez tout de suite.

- Valeur nutritive pour 500 ml (2 t) : 340 cal ; 19 g de protéines; 10 g de matières grasses;
58 g de glucides; et 16 g de fibres.

* Source : *Bien manger pendant et après un cancer*, Geneviève Nadeau, Éditions La Semaine, 2011.

Supplément, substitut... ou produit pour régime amaigrissant?

À l'épicerie, les boissons protéinées voisinent avec les substituts de repas de type Slim Fast, mais ils sont assez différents.

- **Les boissons protéinées** contiennent un type de protéine modifiée chimiquement pour faciliter son absorption. Ces mélanges sont beaucoup plus adaptés aux personnes qui n'arrivent pas à bien s'alimenter et qui sont susceptibles de perdre de leur masse musculaire.

- **Les substituts de repas** sont à base de lait écrémé en poudre et pourraient se préparer aisément à la maison. Un lait frappé aux fruits, additionné d'œuf ou de protéines en poudre, ferait très bien l'affaire et serait beaucoup plus savoureux et appétissant!

  ## Truc de L'épicerie

Avocat toujours prêt

Vos avocats ont tous mûri en même temps, mais vous ne pouvez pas les manger d'un coup? Placez-les dans un sac papier au frigo: cela arrêtera le mûrissement et les empêchera de noircir. Vous pouvez ainsi garder les avocats jusqu'à une semaine. Par contre, il vaut mieux ne pas garder les tomates au frigo, car elles y perdent vite leur goût, leur arôme et leur texture! Avocats et tomates seront la base d'un savoureux guacamole, bien relevé de citron, coriandre, ail et oignon vert, piment, sel et poivre.

¡BUEN PROVECHO! Bon appétit!

Les croustilles de légumes

Ne vous faites pas d'illusions, ces produits contiennent peut-être différents légumes, ce qui les rend attrayants, mais aussi le gras et le sel des croustilles. Y en a-t-il qui soient mieux que d'autres?

Les croustilles de légumes

Les croustilles de légumes bénéficient d'une aura santé qui les rend populaires. On s'en sert une belle part en pensant manger une portion de légumes, en faisant complètement abstraction qu'elles renferment du gras et du sel, ce qu'un légume nature ne contient pas, évidemment.

On trouve principalement sur le marché deux types de croustilles de légumes :

* des tranches fines de légumes frits et salés;
* des tranches fines ou des juliennes de diverses purées de légumes mélangées à des fécules et à des farines de pommes de terre.

Ce qu'on doit rechercher? Des croustilles en tranches fines de légumes plutôt que celles faites de pâte de légumes. On les veut bien croustillantes, et on doit reconnaître le légume qu'on consomme, par exemple le panais ou la patate douce. Et, gros bon sens oblige, il faut qu'elles contiennent le moins de gras et de sel possible.

Pour se faire plaisir, on peut bien en manger de temps en temps. Mais rien ne vaut les crudités croquantes si on cherche à consommer plus de légumes au quotidien...

Les nouvelles fibres

• • •

On trouve sur le marché des produits enrichis en fibres, alors qu'ils n'en contenaient que peu ou pas auparavant : pains blancs, pâtes, et même des jus... Mais attention, il y a fibres et fibres!

Il y a quelques années, les nutritionnistes et autres professionnels de la santé nous ont encouragés à troquer notre pain blanc contre du pain de grains entiers. L'argument majeur : les grains entiers sont une bonne source de fibres et il n'y a presque pas de fibres dans le pain blanc.

Le message retenu par la population est donc qu'il faut manger plus de fibres. Or, malgré toutes les campagnes d'information, on n'en consomme pas suffisamment. Les femmes devraient en consommer quelque 25 g par jour, et les hommes à peu près 38 g. Malheureusement, la moyenne canadienne n'est que d'environ 15 g!

Les nouvelles fibres

Mais apprécier les grains entiers demande une certaine adaptation. Leur goût prononcé en rebute plus d'un. L'industrie alimentaire a flairé la bonne affaire en ajoutant à certains produits des fibres d'autres provenances et broyées à leur plus fine mesure admise (5 micromètres), comme de l'inuline (de l'écorce de chicorée), de la bale d'avoine ou de la cosse de pois. Et depuis février 2012, même les carapaces de crustacés et la cellulose de la betterave ont été admises comme étant des fibres alimentaires par Santé Canada.

À titre d'exemple, on trouve souvent de l'inuline dans divers aliments. Elle a été une de ces premières fibres solubles magiques à apparaître sur le marché. Elle a fait passer des pâtes blanches de 2 g de fibres par portion à 8 g! Et cela, sans en changer la couleur, la cuisson, la texture... L'inuline est maintenant partout : dans les pains, les barres de céréales et même dans les yogourts, les crèmes glacées, les jus de fruits ou de légumes.

Elle permet de diminuer la quantité de sucre dans un produit, car elle est édulcorante; elle est aussi épaississante, ce qui permet de remplacer des matières grasses; elle favorise l'absorption du calcium; c'est un prébiotique (carburant pour les bactéries probiotiques non nécessaire quand on mange des fruits et légumes).

Néanmoins, comme elle n'est pas visqueuse, elle ne produit pas les effets attendus des fibres solubles, soit de réduire le cholestérol sanguin, ralentir l'absorption des glucides et surtout, prolonger notre sensation de satiété.

Les meilleures fibres

Comme le recommande Santé Canada pour obtenir votre dose de fibres quotidienne, rien de mieux que de consommer des fruits et des légumes dans leur forme entière, des noix et des légumineuses ainsi que du pain de grains entiers. Parce que le fruit transformé, pressé par exemple, ne contient plus de fibres, malgré toutes celles qu'on peut ajouter, qu'elles soient sous forme d'inuline ou autres...

Mais si l'on doit consommer davantage de fibres, les meilleures, selon les experts, sont le psyllium et le son de blé. Le psyllium est un mélange de fibres solubles et insolubles et il est un excellent laxatif.

Fibres solubles ou insolubles

Les fibres alimentaires se divisent en deux catégories : les solubles et les insolubles. Elles sont aussi nécessaires l'une que l'autre, puisqu'elles apportent chacune différents bienfaits.

• **Les fibres solubles** forment une sorte de gel dans l'intestin qui capture les gras dérivés du cholestérol et ralentit l'absorption des glucides. Elles ralentissent aussi la digestion, prolongeant ainsi notre sensation de satiété.

• **Les fibres insolubles** sont comme des éponges. Puisqu'elles retiennent l'eau, elles sont également rassasiantes et permettent d'amollir les matières fécales. Elles préviennent la constipation et plusieurs maladies liées aux problèmes intestinaux.

La bale d'avoine

Autre exemple, la bale d'avoine ajoutée dans les pains blancs ou les barres de céréales. Elle est issue de la cosse du grain d'avoine qu'on a broyée très finement. C'est une fibre insoluble, mais sans les avantages de ce type de fibres. Puisqu'elle ne se gonfle pas d'eau comme les fibres insolubles tirées des grains entiers, la bale d'avoine a un pouvoir laxatif faible et n'est pas rassasiante.

En somme, les fibres nouvelles sont moins efficaces pour la régularité intestinale que les fibres des grains entiers, en plus de ne pas contribuer autant à nos besoins en minéraux, vitamines, oligoéléments et antioxydants. Les tableaux de valeur nutritive ont beau indiquer des taux de fibres plus élevés, encore faut-il savoir de quelles fibres il s'agit!

  Truc de L'épicerie

Riz minute

Préparer un riz pilaf ne prend que 20 minutes, mais on aime en faire une bonne quantité pour ne pas en manquer. C'est très simple : faites revenir 500 ml de riz basmati dans l'huile et le beurre à feu vif, pendant que vous faites bouillir 1 l d'eau ou de bouillon. Quand le riz commence à dorer, versez-y l'eau chaude d'un coup et ajoutez une bonne pincée de sel. Ne mélangez qu'une seule fois pour dissoudre le sel, et laissez mijoter sous couvercle, à feu doux, 15 minutes. À ce point, tout le liquide aura été absorbé; aérez le riz pour qu'il s'assèche 5 minutes à découvert sur le feu réduit avant de servir. Les grains seront lisses et détachés. Après le repas, répartissez le reste de riz sur une plaque de congélation et faites-le congeler avant de le transférer dans un sac hermétique. Il se gardera ainsi longtemps et sera prêt à servir en sauté, en salade ou dans une soupe.

Le sirop d'agave

. . . .

Un sirop sucré extrait d'un cactus? C'est le sirop d'agave, un édulcorant qui a fait son apparition il y a quelques années et qui devient de plus en plus populaire. *L'épicerie* a voulu savoir si ce sirop est un bon substitut au sucre blanc traditionnel.

Le sirop d'agave, que les Aztèques surnommaient «eau de miel», provient de la sève d'un cactus mexicain, l'agave bleue. Cette plante est bien connue, puisqu'elle sert également à produire la tequila. Sa sève est reconnue pour son pouvoir sucrant élevé dû à sa haute teneur en fructose. Mais ce n'est qu'à la fin des années 1990 que le sirop d'agave a été commercialisé en Occident.

Le sirop d'agave est le dernier succédané du sucre à la mode. On le trouve sous forme brute, bio, crue et raffinée, du plus pâle au plus foncé, et il vaut 10 fois plus cher que le sucre de table. Ses atouts

marketing : il est d'origine naturelle et possède un indice gly-
cémique faible. Mais le sirop d'agave n'est pas aussi inoffensif
qu'il en a l'air…

Le fructose

Qu'importe sa forme, le sirop d'agave est surtout composé de
fructose. Or le fructose qu'on trouve dans les fruits n'est pas
l'équivalent d'un sucre ajouté, pour la bonne et simple raison
que lorsqu'on le consomme dans un aliment on bénéficie en
même temps de fibres, de vitamines, de minéraux et d'oligoéléments. De plus, il n'est pas métabolisé de la même façon
que le glucose et le sucrose. Il arrive trop rapidement dans
le foie, qui ne peut le transformer totalement en énergie. Or,
l'excédent de fructose favorise la création de triglycérides, des
graisses qui vont circuler dans le sang avant d'être emmaga-
sinées dans les artères et la région du ventre, causant des
problèmes d'inflammation, de maladies cardiaques, etc.

Pouvoir sucrant

Comme le sirop d'agave est plus sucré que le sucre blanc,
il faut en utiliser une plus petite quantité. Toutefois, plusieurs
personnes oublient de le faire. En s'habituant à un goût plus
sucré, elles finissent par utiliser davantage de sucre de table
et ainsi consommer un excès de calories. Sachant que les
recommandations de l'American Heart Association sont de ne
pas consommer plus de 25 à 30 g de sucre par jour et que le
Nord-Américain, incluant le Québécois, en mange 110 g, on
se doute de l'importance d'y faire attention!

Pour ce qui est de la glycémie, même si ce sirop ne provoque
pas d'augmentation du taux de sucre dans le sang, selon
l'Association canadienne du diabète, à long terme, il n'y aurait
pas d'avantages à en consommer.

Les inquiétudes au sujet du fructose

On croyait auparavant que le
fructose était le «sucre du futur»
pour les diabétiques. En effet,
contrairement au glucose, le fructose
n'a pas besoin de l'insuline, l'hormone
problématique chez les diabétiques,
pour être métabolisé et transformé
en énergie. Ainsi, on croyait pouvoir
éviter beaucoup de désagréments liés
à l'excès de glucose dans le sang.
La réalité est tout autre.

De tous les sucres, c'est le fructose
ajouté (et non pas celui provenant
des fruits) qui soulève le plus
d'inquiétudes. On le trouve sous
la forme de glucose-fructose ou
de sirop de maïs dans les aliments
transformés. Beaucoup de
recherches sont effectuées
concernant son incidence sur
la santé.

Le stevia

• • •

En 2007, *L'épicerie* s'intéressait à un édulcorant
qui devait révolutionner l'industrie alimentaire : le stevia.
Pourtant prometteur, il n'est utilisé que bien timidement
de nos jours... Voyons pourquoi.

Le stevia est une plante originaire d'Amérique du Sud qui existe depuis des millénaires. La particularité de cette plante est de posséder un pouvoir 300 fois plus sucrant que le sucre, sans ajouter de calories. Contrairement à l'aspartame, à l'acésulfame K ou au cyclamate, elle est naturelle. De plus, le stevia est moins dommageable pour la santé que ne l'est le sucre. Notamment, il ne stimule pas les bactéries responsables des caries dentaires. Il aura fallu attendre 2009 aux États-Unis et 2012 au Canada pour que le stevia soit autorisé comme additif alimentaire.

Voyant le potentiel commercial de cette plante dont le pouvoir sucrant est si puissant, Cargill, une multinationale négociant d'immenses volumes de sucre, s'est associée à Coca-Cola pour acquérir toute la production du Paraguay.

Pas si simple à utiliser

On ne trouve que quelques produits sur nos tablettes qui utilisent du stevia comme édulcorant. Rares sont ceux qui ne contiennent que celui-ci. À cause de son pouvoir sucrant, il est difficile à doser. Si vous l'utilisez pour sucrer votre café, il ne vous en faudra que quelques grains. L'industrie l'a donc combiné avec divers composés pour mieux le doser ou pour l'avoir sous forme de cristaux. Par exemple avec la maltodextrine ou l'érythritol, qui est en réalité un sucre alcool. De ce fait, il ne peut porter la mention «édulcorant d'origine naturelle».

L'autre facteur qui n'a pas aidé le stevia à prendre sa place sur les tablettes est son arrière-goût anisé. Il aura fallu beaucoup de recherches en industrie avant de proposer des produits au goût équilibré.

Le goût du sucre

La consommation élevée de sucre est accusée, à raison, d'être la cause de multiples maladies. L'utilisation d'un édulcorant peut aider à diminuer la quantité de calories ingérées, mais ne fait pas oublier le goût du sucre lui-même, ce que dénoncent les nutritionnistes.

Ces produits peuvent donc être utiles dans une démarche de régime amaigrissant, pour les diabétiques ou pour quelqu'un qui désire surveiller sa consommation de sucre en transition vers de meilleures habitudes de vie.

Quelques exemples

En 2013, Coca-Cola lançait, d'abord en Argentine, le Coca-Cola Life, édulcoré au stevia. Ce nouveau produit, vendu maintenant en France et aux États-Unis, n'est toujours pas offert au Canada. Les Canadiens peuvent par contre se procurer le Pepsi Next, avec un emballage vert, qui contient 30 % moins de sucre que les versions originales. Mais le sucre demeure le deuxième ingrédient sur la liste.

Dans le domaine des boissons moins caloriques ou sans calories, l'utilisation du stevia est mise de l'avant plus timidement qu'avec l'aspartame, par exemple. On craint la réaction des consommateurs.

Par contre, d'autres produits comme les yogourts de marque IÖGO en affichent fièrement l'ajout. Bien que ce soit pour équilibrer le goût, le sucre est quand même en deuxième ou troisième position… Danone, quant à lui, a emboîté le pas avec un yogourt Activia contenant cet édulcorant.

Même des fabricants d'édulcorant artificiel, comme Sugar Twin, offrent maintenant dans les grandes surfaces une version à base de stevia. Mais, somme toute, dans le domaine des édulcorants, sa part de marché est encore faible. On ne parle que de 15 %.

Pour l'heure, le seul moyen de profiter des bienfaits du stevia est d'utiliser une poudre pure, difficile à trouver en commerce, ou de faire pousser son propre plant.

Valeur nutritive
par 1 tasse (55 g)
220
quotidier

CITRON
4033/4094

calories
Lipid

4

Tendances et découvertes

...

L'arancini

• • •

La Sicile. Ses côtes, la beauté de ses paysages arides, sa gastronomie... Parmi les délices de la cuisine sicilienne se trouve une boule en forme d'orange : l'*arancini*.

Arancini vient du mot italien *arancia*, qui signifie orange, en référence à sa couleur. À l'origine, les Italiens préparaient les *arancine* avec les restes de risotto de la veille. Puisqu'il s'agit d'un riz bien collant, il est facile d'en faire une boule, et de mouler une cavité au centre de la boule. On introduit dans ce trou de la sauce à la viande, un peu de mozzarella, et parfois de petits pois verts. Ensuite, on la roule dans la panure et on la fait frire. C'est là que l'*arancini* prendra sa belle couleur orangée.

Chaque ville et village du sud de l'Italie a sa recette d'*arancini*. Surtout en Sicile, où on les savoure à toute heure du jour. Il n'est pas rare, en effet, de voir des gens en manger à la plage ou en marchant dans les rues. C'est aussi un plat facile à placer dans la boîte à lunch des enfants.

Pour préparer l'*arancini*, le traditionnel ou en version revisitée, il est important que les ingrédients aient passé quelques heures au réfrigérateur, ce qui leur permettra de mieux s'agglutiner.

L'*arancini* se sert dans un cône de papier, pour manger sur le pouce. Ou dans une assiette, avec un petit bol de sauce *marinara*.

Petite variante

Pourquoi ne pas préparer des mini-*arancine*? Pour ce faire, utilisez les mêmes ingrédients que dans la recette traditionnelle, mais au lieu de farcir les petites boules de fromage, ajoutez celui-ci au mélange de riz. Formez en boulettes, panez et faites frire. Un délicieux hors-d'œuvre!

La burrata

• • •

En italien, *burro* signifie beurre. Pas étonnant que la *burrata*,
ce fromage au cœur tendre composé de mozzarella
et de crème fraîche, et qui se déguste à la petite cuillère,
nous offre ce goût de beurre en bouche.

On confond souvent la *burrata* avec la mozzarella, car ces deux fromages se présentent sous forme de grosse boule à la douceur lactée et leur histoire est étroitement liée. Au début du XXe siècle, M. Bianccini, un producteur laitier de la région des Pouilles, dans le talon de l'Italie, voulait récupérer les fonds inutilisables de mozzarella parce que trop liquides et impossibles à affiner. Il a donc eu l'idée de façonner les restes de mozzarella pour en faire des poches, et de plonger ces poches dans de l'eau à 90 °C. Puis il a farci ces fromages d'un mélange de crème et de mozzarella. Il a enfin enveloppé le tout dans des feuilles de la famille des lilas. À l'époque, la *burrata* était confectionnée avec du lait de bufflonne, mais de nos jours, on utilise seulement du lait de vache. Par ailleurs, elle n'est plus corsetée dans un habit végétal, mais plutôt ceinturée d'une simple ficelle en plastique vert.

Longtemps, cette merveille suave et crémeuse n'a été offerte que dans une poignée de fromageries artisanales en Italie, jusqu'à ce que l'industrie s'y intéresse dans les années 1950. Il faut dire que l'extrême fragilité de ce fromage, qui doit se manger frais, a longtemps représenté un casse-tête en matière de transport.

De nos jours, ce fromage est acheminé par avion. Comme il doit être consommé quelques jours après l'arrivage, et que les fromageries n'en reçoivent pas fréquemment, mieux vaut le commander à l'avance, et surtout le déguster rapidement. Servi avec votre huile d'olive préférée, une pointe de fleur de sel et du poivre noir du moulin, il vaut le détour!

CUISINE DU MONDE

Le céviché

...

Plat originaire du Pérou, le céviché se compose de poisson ou de fruits de mer crus marinés. Simple à préparer!

Le céviché est l'une des fiertés de la gastronomie péruvienne. Ce plat a plus de 2 300 ans! Au Pérou, il se mange tous les jours dans les *cevicheria* qu'on trouve partout au pays. Avec les années, il a dépassé ses frontières et a été adopté par plusieurs autres pays d'Amérique latine, avec certaines variations. Aujourd'hui, le céviché est reconnu mondialement en raison de sa saveur et de sa présentation.

Un authentique céviché est fait à partir de cinq ingrédients de base. Il y a d'abord la lime, qu'il faut presser juste à moitié pour faire ressortir le jus et non l'amertume. Ensuite, il y a les «*aji*». Ce sont de petits piments piquants, mais pas très forts : on en frotte le bol pour relever un peu plus le goût. Puis on y ajoute les oignons rouges, le poisson (voir ci-dessous), le sel et le poivre.

Le bon poisson
Utilisez un poisson à chair ferme, comme le tilapia, le thon, le flétan, le saumon ou des fruits de mer, par exemple des pétoncles. Un poisson à chair molle comme la sole se désagrégerait au contact de la marinade.

Lait de tigre et lait de panthère

Ne jetez surtout pas le *leche de tigre* après la dégustation! Il est permis de le boire à même le bol. Au Pérou, on l'utilise aussi comme remède à la gueule de bois du lendemain de veille. Le lait de panthère, lui, s'obtient en ajoutant de la bière brune au mélange.

La «cuisson à froid»

Il est aussi possible de préparer d'avance la marinade en passant au mélangeur tous les ingrédients, sauf le poisson. Le liquide ainsi obtenu s'appelle *leche de tigre*, soit lait de tigre. C'est une marinade qui sert en quelque sorte de mode de cuisson à froid. L'acidité du jus de lime saisit chimiquement le poisson en attaquant ses protéines, ce qui rend sa chair opaque, comme si elle avait été cuite par la chaleur. Cependant, comme l'acide ne tue pas les bactéries et les parasites, il est important de cuisiner le céviché avec des poissons bien frais.

Pour ceux qui ne sont pas friands du poisson cru, il est recommandé de le laisser mariner quelques minutes de plus pour permettre à l'acidité de continuer sa cuisson. Mais ne vous attendez pas à manger un poisson cuit comme s'il avait été bouilli ou grillé.

Céviché végé

À l'intérieur des terres, comme le poisson n'est pas aussi accessible que sur la côte, les Péruviens font le céviché avec des légumes ou des grains. Ils l'appellent *ceviche cerano*.

  ## Truc de L'épicerie

Éplucher un oignon

La seule pensée d'éplucher des oignons vous tire les larmes? Les oignons perles, difficiles et piquants, sont les pires! Un séjour de 30 secondes dans de l'eau bouillante les rendra beaucoup plus dociles et civilisés. Quant aux oignons crus, tranchés pour les salades ou les hamburgers, ils seront beaucoup plus faciles à digérer s'ils ont passé quelques heures dans l'eau froide.

Le chè

...

C'est un dessert? Une collation? Une boisson?
Difficile à dire. Mais une chose est certaine,
c'est étonnant!

Si vous entrez dans un petit restaurant vietnamien authentique, vous y découvrirez peut-être un mets bien déconcertant : le *chè*! Coloré et servi avec des glaçons, il contient toujours un mélange d'ingrédients étonnants dans un dessert, comme des légumineuses, et d'autres pas toujours faciles à identifier pour les non-initiés. Mais les connaisseurs s'en régalent!

- **Chè ba màu**, qui signifie dessert trois couleurs, est le *chè* le plus courant. Il contient des haricots azuki (de couleur rouge), de la gélatine verte en forme de filaments, préparée avec de la farine de manioc. Et le blanc est du jus de coco.

- **Suong sa hột lựu** est fait de graines de grenade et de haricots jaunes. Il contient également du jus de coco. Ce *chè* ressemble à un verre de lait dans lequel flottent de jolies boules jaunes et roses.

- **Sâm bổ lượn** se prépare avec des algues, des dattes chinoises, des graines de lotus, un petit jus sucré et de la glace .

À boire ou à manger?

On boit le liquide avec une paille, puis à la cuillère on ramasse le plus d'ingrédients différents possible pour goûter un peu de tout à la fois.

Comme les couleurs du *chè* attirent, c'est une bonne façon de faire manger des haricots aux enfants! Mais il ne faut pas oublier que le liquide est très sucré et que le jus de coco est aussi une source importante de gras saturé.

Quand le consommer?

Inclassable entre boisson, dessert ou collation, le *chè* se consomme au repas, entre les repas ou à la place d'un repas! Au Vietnam, des vendeurs ambulants s'en font une spécialité et le préparent sur mesure. Le *chè* est désormais à la mode de Saïgon jusqu'à San Francisco, de Vancouver à Toronto en passant par Montréal, où il est offert dans plusieurs restaurants vietnamiens.

La chèvre

• • •

Cette viande souffre à tort d'un certain préjugé,
car on l'associe au goût du mouton.
Pourtant, bien apprêtée, elle gagne à être connue.

La viande de chèvre est la viande la plus consommée du monde, car l'animal est facile à élever et se nourrit de peu. De mauvaises herbes, par exemple, que même les vaches ne mangeraient pas. Au Québec, on la trouve très difficilement dans les épiceries à grande surface, tout comme dans les boucheries fines spécialisées. Pourtant, c'est une viande maigre, abordable et bonne pour la santé.

Ici, on connaît la chèvre surtout pour son lait et le fromage qu'on en tire. Mais en boucherie, c'est son petit qui est préféré, car tout comme l'agneau avant de devenir mouton, le chevreau est plus tendre et a un goût plus fin, fort apprécié des gourmets. Bien qu'elle soit surtout prisée des communautés ethniques, la viande caprine gagne tout autant à être connue que celle du chevreau.

Comment la préparer?

L'avantage de la chèvre, c'est qu'on peut littéralement la servir à toutes les sauces. Les Indonésiens la cuisinent en saté; au Moyen-Orient, on la trouve braisée, en brochettes ou en kébabs; les Antillais l'apprêtent en cari; les Mexicains, en *barbacoa* (l'ancêtre de notre barbecue). La cuisine créole étant traditionnellement très épicée, ses bases se prêtent bien à la préparation de la viande de chèvre. Une fois dégraissée, elle est nettoyée avec du citron vert, blanchie à l'eau bouillante, puis relevée de mélanges d'épices secrètes. On la cuit à feu doux pendant une douzaine d'heures pour enfin obtenir un plat savoureux tout en étant maigre et nourrissant.

Pour ce qui est du *barbacoa* mexicain, on frotte bien le gigot avec des épices mexicaines, puis on attendrit la viande de longues heures à feu doux pour obtenir un effiloché. On met cette viande cuite dans le jus et on ajoute quelques tranches d'avocat, de l'oignon, de la tomate, du piment, de la coriandre fraîche et un peu de jus de lime. Et voilà, *tacos de barbacoa de Chivo ¡Salud!*

Le churrasco

...

La cuisine brésilienne est un mélange d'influences indigènes, africaines et européennes. Dans l'immensité du Brésil, chaque région a ses spécialités culinaires. Découvrons le *churrasco*.

Le Brésil couvre près de la moitié du continent sud-américain. Chaque région est reconnue pour ses plats typiques. Par exemple, au sud du Brésil se trouve notamment le Rio Grande do Sul, l'État le plus méridional du pays, ayant pour principale métropole Porto Alegre. C'est dans cette région que s'étend la terre de vallées et de pampa, territoire des gauchos, les éleveurs de bétail brésiliens. La région est reconnue pour son *churrasco*; elle a d'ailleurs étendu son influence, si bien que c'est devenu une institution à travers tout le pays!

Qu'est-ce que le *churrasco*?

Ce sont des pièces de bœuf taillées dans les meilleurs morceaux, salées, puis grillées à la broche sur des braises. Car, sachez-le, les Brésiliens sont de vrais carnivores!

Les restaurants spécialisés dans le *churrasco* sont des *churrascarias* ou des *rodizios de churrascos*. Le principe? Une grande variété de viandes servies à volonté, de quoi satisfaire les gros appétits. Les serveurs déambulent en salle avec les immenses brochettes de viandes grillées. Le prix fixe inclut un buffet de hors-d'œuvre et de légumes. À l'origine, le *churrasco* est une tradition culinaire des gauchos, les cowboys brésiliens, pourrait-on dire, qui déplaçaient leur bétail d'une plaine à l'autre. N'ayant pas accès aux sauces pour assaisonner leur viande à griller, ils utilisaient seulement du gros sel, ce qui est encore le cas aujourd'hui.

Cuisson traditionnelle...
et adaptée

Au début, dans le sud du Brésil, le *churrasco* était un trou où on posait le bois ou le charbon. On piquait la viande de bœuf sur de longues broches qu'on inclinait au-dessus du feu. Mais le charbon est interdit dans les cuisines commerciales d'ici, alors on utilise surtout des grils fonctionnant au gaz pour cuire le *churrasco*.

Charbon, bois, électricité… peu importe, pour autant que la viande de bœuf soit de très bonne qualité et tourne autour d'une broche.

La picanha

Détail crucial : parmi les différentes parties du bœuf figure la *picanha*, un morceau très prisé et presque mythique. Car sans *picanha,* il n'y a pas de *churrasco*! La *picanha* est une pièce tranchée dans la partie haute de la cuisse du bœuf, à la base de la queue. Elle s'achète surtout dans les boucheries d'origine latino-américaine. Cette viande est très tendre, car il s'agit d'un muscle qui n'est presque pas sollicité par l'animal. On la grille avec sa belle couche de graisse et on la déguste saignante.

En dehors de la fameuse *picanha*, le *churrasco* se fait aussi avec d'autres parties du bœuf, mais également avec du poulet et du porc. En guise d'accompagnement? Riz, haricots et pommes de terre frites. Derniers ingrédients prisés par les amateurs de *churrasco*? Des amis et de la bonne musique pour le savourer pleinement!

 ## Truc de L'épicerie

Reste de rôti réchauffé à point

La cuisson de votre rôti de bœuf était parfaite, mais il en est resté. Pour éviter d'en faire une semelle de botte en le réchauffant, couvrez-le d'une feuille de laitue romaine ou iceberg. En 4 minutes sous le gril, une tranche de 1 cm se réchauffera tout en restant à point. Un trait de jus de viande, et voilà!

Le churro

...

Les amateurs de beignes saliveront à l'idée de découvrir cette spécialité typiquement espagnole.

Le churro est un long beignet cannelé saupoudré de sucre. C'est d'abord une spécialité espagnole qui s'est étendue à toute l'Amérique latine. Étonnamment, ce n'est pas une création de l'Espagne : les navigateurs portugais seraient plutôt à l'origine de ce délice, ayant été inspirés par le *youtiao*, un beignet similaire consommé… en Chine!

Dans les *churrerías* madrilènes, on trempe le *churro* dans le café le matin, et dans une sauce au chocolat en fin d'après-midi. En Amérique latine, les *churros* sont plus gros et souvent fourrés, soit à la goyave, soit au caramel, soit au *dulce de leche*, le fameux caramel de lait.

Comment le préparer?

Les ingrédients de base sont simples : farine, sel, eau! On met le sel dans la farine et on tamise. Lorsque l'eau bout, on l'ajoute aux ingrédients secs et on travaille bien la pâte. Puis on insère la pâte dans un *churrera*, un appareil à embout étoilé qui lui donne sa forme cannelée, ou dans une poche à douille étanche munie d'une grosse douille en étoile. Le beignet est ensuite frit, puis saupoudré de sucre et parfois aussi de cannelle. Il sera délicieux trempé dans une sauce au chocolat noir dense aromatisée au paprika fumé.

Mise en garde

Pour limiter les risques d'éclaboussures pendant la friture, prenez soin de bien sécher la pâte (comme pour une pâte à choux); elle doit se ramasser autour de la spatule en bois lors du mélange. Elle ne doit pas être trop liquide, mais ferme.

L'escabèche

...

Au rayon des conserves de poisson, on trouve parfois des préparations dites «à l'escabèche». C'est une délicieuse marinade destinée à conserver des poissons, mais aussi une grande variété d'aliments cuits.

L'escabèche est une façon de cuire des poissons avec une marinade à l'huile, au vinaigre et au vin; l'escabèche est alors blanche (elle est rouge lorsqu'on lui ajoute des tomates). Par extension, l'escabèche désigne le plat lui-même, qui se déguste à la fois comme entrée et comme plat de résistance. Elle se concocte surtout avec des petits poissons comme la sardine ou le maquereau, mais elle se décline facilement avec d'autres produits comme des coquillages, des fruits de mer, du thon, du saumon et même de fines tranches de poulet. On la prépare aussi à base de légumes.

Simple à préparer

Pour la préparer, rien de compliqué : un tiers de vinaigre, un tiers de vin blanc et un tiers d'huile d'olive. On fait d'abord chauffer le vinaigre. Quand il est à ébullition, on ajoute le vin, puis l'huile. On fait mijoter avec un sachet d'étamine rempli de fenouil, carotte, tomate, laurier, ail, citron et zeste, thym, échalote, poivre noir et baies roses, et avec du sel de mer. On dépose la marinade chaude sur le poisson, qui cuit ainsi en quelques minutes. Enfin, un séjour de plusieurs heures au réfrigérateur permettra à toutes les saveurs de se développer entre elles. On sert le tout sur une tranche de pain de campagne, et le tour est joué!

L'origine d'escabèche

D'origine hispano-arabe, le mot escabèche vient du verbe espagnol *escabechar,* dont le sens premier est étêter. Il s'agit donc d'étêter des petits poissons et de les faire macérer dans une marinade.

Le gravlax

...

En sashimi, en céviché ou tout simplement fumé...
Il y a une autre façon de profiter du poisson cru!

Le gravlax est du saumon cru, mariné pendant plusieurs heures. Plat d'origine scandinave, il se prépare depuis le Moyen Âge. C'était une façon pour les pêcheurs de conserver le poisson : ils mettaient leurs prises dans le sable et laissaient ensuite l'eau de la mer faire son travail pendant environ 24 heures (d'où le nom gravlax : *grav* qui veut dire terre, et *lax* qui veut dire saumon). Le principe de conservation est simple : plus le sel pénètre dans la chair du poisson, plus l'eau en est extraite.

Aujourd'hui, le sel et le sucre sont utilisés pour la marinade. Il existe plusieurs variantes à la recette de base, mais le secret réside dans les proportions. En effet, un gravlax peut facilement être trop salé ou trop sucré.

Faire son gravlax

Pour le préparer, il faut d'abord enrober le saumon avec le sel, puis avec le sucre, soit 3 parties de sel pour 2 parties de sucre. On peut aussi ajouter du poivre. Il est également conseillé de mouiller le tout avec touche de vodka, ce qui permet de bien dissoudre les ingrédients et de les faire adhérer au poisson. Certains mettent un poids sur le poisson durant la période de saumurage, pour obtenir une chair ferme. À la maison, il est plus pratique de placer le tout dans un sac de conservation en plastique muni d'une fermeture hermétique et de laisser mariner au réfrigérateur. Après 24 heures, on ajoute de l'aneth et du citron et on sert sur du pain pumpernickel.

D'autres poissons à utiliser

Préférez des poissons gras comme :

• le saumon;

• le maquereau;

• l'omble chevalier;

• le thon.

Le kombucha

• • •

Au Québec, le kombucha, un thé aromatisé pétillant, est un nouveau venu qui se présente avec plusieurs prétentions : on dit qu'il aide à réveiller, repenser, réinventer, revivre, récupérer...

Le kombucha est une boisson rafraîchissante, préparée à base de thé sucré fermenté. Selon la littérature scientifique, il a des effets bénéfiques reconnus et il peut être bon à consommer de façon préventive contre divers maux, mais ce n'est ni un produit miracle ni un médicament. Cette boisson originaire de Chine, date d'au moins 2 000 ans. À l'époque, seuls les rois et les reines avaient le droit d'en boire pour augmenter leur longévité.

Une source de probiotiques

La fermentation ajoute des probiotiques au thé, ces bactéries bénéfiques pour la santé intestinale. Par contre, comme chaque fois qu'on commence à prendre des probiotiques, mieux vaut laisser un peu de temps au corps pour s'y adapter. On pourrait, au début, ressentir de petits désagréments...

La «mère» kombucha

Les dépôts au fond de votre bouteille sont les microorganismes qui se chargent de la fermentation et ils sont totalement inoffensifs. Ils proviennent de la «mère» kombucha. Car pour fabriquer ce thé pétillant, il faut une mère, un mélange de levures et de bactéries ressemblant à un gros champignon. Elle se conserve au réfrigérateur pendant des années.

Faire son propre kombucha

Le kombucha peut facilement se préparer à la maison à partir d'une «mère» qu'une âme généreuse de votre entourage voudra bien partager avec vous.

- Faites d'abord infuser des feuilles de thé, que vous aromatiserez avec de la tisane pour enlever le goût acidulé.

- Ensuite, ajoutez beaucoup de sucre. Ce sucre ne restera pas dans la boisson; il va être consommé à 80 % par la mère kombucha.

- Ajoutez au mélange la mère kombucha, puis laissez fermenter pendant deux semaines, à température ambiante, dans l'obscurité.

- Et pour créer le pétillement, laissez fermenter la boisson une deuxième fois, filtrée, dans des bouteilles bien fermées.

- Une fois qu'il est prêt à boire, le kombucha a un goût un peu sucré et un peu vinaigré.

Le lassi

...

Une boisson indienne rafraîchissante qui dépayse.

En Inde, au cours des grandes périodes de chaleur, les gens de la campagne se désaltéraient traditionnellement de lassi, une boisson à base de petit-lait, plus légère et liquide que du yogourt. À l'origine, on l'aromatisait avec de l'eau de rose. Avec le temps, le lassi s'est aussi répandu dans les grandes villes indiennes et on a commencé à y ajouter des fruits, comme de la purée de mangue.

De nos jours, cette boisson populaire est préparée à base de yogourt. Il en existe des versions salées ou sucrées. Par exemple, on peut la parfumer avec des herbes ou l'aromatiser à la menthe ou aux épices. Chaque famille a sa recette. Dans le sud de l'Inde, on fait le lassi à base de cumin rôti, de gingembre, de sel, de piment vert et de feuilles de cari fraîches.

Heureusement pour nous, le lassi a traversé les frontières. On le trouve prêt à boire dans certaines épiceries, mais on peut aussi le fabriquer soi-même, puisqu'il ne faut au fond que du yogourt nature, de l'eau, des glaçons et des aromates. Alors pourquoi ne pas s'offrir, au cœur d'une chaude journée, une boisson exotique qui a la saveur d'une invitation au voyage?

Un truc de pro

Pour aérer la boisson et la faire mousser, on la verse en tenant le pichet à environ un mètre au-dessus de chaque verre. Le liquide devient donc léger et plus savoureux, car les saveurs se fusionnent.

Le miso

· · ·

Le miso est un incontournable de la cuisine japonaise.
Son goût est incomparable et, parce qu'il est fermenté,
il renferme des bactéries excellentes pour la santé.
Un condiment à découvrir.

Le miso (parfois misso) a 25 siècles d'histoire. En Asie, et plus particulièrement au Japon, il existe une multitude de variétés de miso. Cette pâte de soya fermentée, à la base de l'alimentation des Japonais, est utilisée comme condiment. Polyvalente, elle sert d'assaisonnement dans les soupes, dans la confection de bouillons ou de sauces et également dans la préparation de plats cuisinés. En fait, on l'emploie un peu comme un concentré de bœuf.

Le miso s'utilise froid dans la vinaigrette ou autres assaisonnements pour légumes. Son goût est très prononcé à cause de sa fermentation, et il forme la fameuse cinquième saveur, qu'on nomme umami. Salé, il a un goût assez différent de celui de la sauce soya.

Valeur nutritive

Comme bien des produits à base de soya, le miso est riche en protéines, en fer, en calcium et en vitamines du groupe B, dont l'acide folique. Il contient aussi des enzymes qui aident à la digestion des protéines. Et à cause de la fermentation, il recèle des quantités non négligeables de probiotiques. En matière de sodium, il en contient 5 fois moins que 5 ml de sel de table, et 2 fois moins que la sauce soya. Il est aussi moins salé que la plupart des bouillons concentrés du commerce.

Les vertus du miso

On prête au miso de multiples vertus, notamment de diminuer les symptômes liés à la ménopause. Il serait aussi détoxifiant, alcalinisant, antioxydant, protecteur contre les toxines et même anticancéreux. Or toutes ces qualités ne font pas l'unanimité, car cet aliment est mis à l'épreuve par l'acidité de l'estomac. Son action ne serait donc pas aussi efficace qu'on pourrait le croire.

Miso non pasteurisé

Recherchez des produits non pasteurisés contenant le champignon nécessaire à la fermentation (*Aspergillus oryzae*) pour profiter de tous les bienfaits du miso. On recommande d'utiliser le miso après la cuisson ou juste à la fin pour éviter que l'ébullition ou la cuisson prolongée détruisent les enzymes et tuent les bactéries lactiques.

Prix et conservation du miso

Comme pour le vin, il y a de grands crus de miso, issus d'une longue fermentation qui les rend presque inaltérables. C'est pourquoi les prix varient. Un contenant de 500 g de pâte donne environ 10 l de bouillon. La pâte se conserve à température ambiante de trois à six mois, et au frigo pendant au moins deux ans.

Petit-déjeuner japonais

Au Japon, la soupe au miso fait partie du menu quotidien, notamment au petit-déjeuner. On dilue environ 7 ml de miso dans un peu d'eau froide pour «préparer» la pâte. On ajoute ensuite une pincée d'échalote émincée et une pincée de persil (ou autre herbe au goût). Il ne reste qu'à verser de l'eau bouillante sur cette base au moment de consommer.

Vinaigrette au miso

- 15 ml (1 c. à soupe) de moutarde de Dijon
- 15 ml (1 c. à soupe) de miso
- 60 ml (1/4 t) d'huile d'olive
- 15 ml (1 c. à soupe) de vinaigre balsamique
- poivre du moulin au goût

Mélanger la moutarde de Dijon et le miso. Verser l'huile d'olive en filet tout en fouettant, puis incorporer le vinaigre et le poivre. Servir sur une salade, du riz, des pâtes, etc.

La fabrication

Le miso se prépare selon des méthodes ancestrales, avec patience et minutie. Et pas besoin d'aller au Japon : il s'en fait ici, en Estrie! Pour le préparer, il faut une source de protéines (du soya ou une autre légumineuse), à laquelle on ajoute une céréale (du riz ou de l'orge), du sel et de la levure *Aspergillus oryzae*; le mélange fermentera dans des barils. Au bout de trois à cinq ans, on obtiendra une pâte brune ou beige, selon qu'on parle de miso rouge, blanc, ou bien d'un mélange des deux (*awasemiso*). Le miso rouge, avec une période de fermentation plus longue, sera plus salé, alors que le blanc, plus riche en levure, aura une saveur plus sucrée.

  Truc de L'épicerie

Carapaces de crevettes

Une fois vos crevettes décortiquées, ne jetez pas les têtes ni les carapaces. Gardez-les au congélateur dans un sac protecteur, et accumulez-en une bonne quantité; elles vous feront un bouillon de grand luxe! Faites-les d'abord revenir à l'huile, et ajoutez un oignon coupé, deux gousses d'ail entières et de la citronnelle. Mouillez d'un bon litre d'eau, que vous porterez à ébullition. Pour une saveur asiatique, mettez-y du gingembre et de la coriandre. Mijotez une heure, puis filtrez.

La molokhia

...

La molokhia est à la fois le nom d'une plante et du plat national des Égyptiens. Appelée également corète potagère ou mauve des juifs, cette plante reste aujourd'hui inconnue des Québécois, mais la diaspora égyptienne la chérit depuis longtemps.

Le mets qu'on en fait est une sorte de soupe verte épaisse. Les feuilles de molokhia qui servent à sa préparation sont un peu plus grandes que celles de la menthe et s'apparentent à l'épinard. Néanmoins, leur goût est plus doux et leur texture, distinctement visqueuse. C'est pourquoi cette soupe n'est pas particulièrement ragoûtante pour les non-initiés.

Une plante très nutritive

La forte teneur en vitamines et minéraux de la molokhia en fait un aliment de choix. Très riche en vitamine C, en vitamine A, en magnésium et en fer, elle contient aussi presque 5 fois plus de bêta-carotène que l'épinard et 10 fois plus de calcium que le brocoli. Bonne source de fibres, cette plante a aussi la réputation d'être rassasiante et facile à digérer.

Sa préparation

On fait d'abord bouillir le poulet (ou toute autre viande), puis on récupère le bouillon. On y ajoute ensuite les feuilles de molokhia fraîchement hachées. Pour faire ressortir toutes les saveurs de la préparation, on ajoute une bonne quantité d'ail sauté dans de la graisse végétale ou du beurre, et de coriandre séchée. On sert ensuite la soupe accompagnée de la viande bouillie, d'oignons marinés, de riz et de *baladi*, un pain traditionnel égyptien. On dépose tous ces aliments sur la table pour permettre aux convives de garnir leur assiette comme bon leur semble.

Plat des paysans et des pharaons

Le plat national des Égyptiens a d'abord fait son apparition sur la table des paysans, selon le sociologue Rachad Antonius. «Les sultans et les rois égyptiens provenaient tous de dynasties étrangères. L'aristocratie n'a jamais développé une gastronomie typique et locale. Les plats proprement égyptiens sont essentiellement des plats paysans.» Vu les qualités nutritives et la préparation rapide et peu coûteuse de la molokhia, chaque famille réservait traditionnellement une partie de sa terre à la culture de cette plante, qui pousse aisément sur les continents africain et asiatique.

L'okra

• • •

De la Louisiane au Japon en passant par l'Inde, la Thaïlande, la Turquie et le Brésil, on prépare ce petit légume à toutes les sauces. Désormais, on trouve des okras chez nous, au rayon des produits frais des supermarchés.

L'okra, ou gombo, est un membre de la famille de l'hibiscus et du coton. Il pousse dans les régions tropicales du monde entier. Sa peau mince est lisse, quoique légèrement duveteuse. Particularité : il contient une substance mucilagineuse, c'est-à-dire vaguement gélatineuse, très utile pour épaissir les soupes ainsi que le fameux ragoût louisianais, lui aussi appelé gombo. L'okra a une saveur subtile qui rappelle celle de l'aubergine, qu'il peut d'ailleurs remplacer dans certaines recettes.

Son utilisation

L'okra ne coûte pas cher et se cuit rapidement. Il est délicieux avec de la viande, notamment l'agneau, le poulet et la dinde. On peut le confire dans l'huile d'olive une vingtaine de minutes et le servir avec des tomates. On peut aussi le sécher sur un fil pour en faire une provision à savourer tout l'hiver.

Lorsqu'on apprête l'okra, il faut prendre soin d'enlever son petit capuchon très délicatement afin d'éviter de libérer la gélatine. On fait ensuite revenir des oignons avec du piment oiseau, puis on ajoute des tomates et un peu de sel. Un bon truc : on verse du jus de citron dans la préparation avant d'y plonger les okras, car lui aussi contribue à empêcher le légume de devenir gélatineux.

Okra à la Louisiane

Faites revenir les okras dans l'huile pendant 5 à 10 minutes, jusqu'à ce qu'ils deviennent vert-brun, de façon à laisser s'échapper l'humidité des légumes et à éviter qu'ils deviennent visqueux. Ajoutez ensuite des oignons, du poivron, du céleri, des épices et un bouillon de fruits de mer, et laissez mijoter doucement pendant trois heures. Il suffit ensuite de garnir avec du poulet ou des fruits de mer (crevettes, écrevisses ou crabe).

L'origine du gombo

Le mot gombo apparaît en français au milieu du XVIIIe siècle. Il dérive de l'anglais *gumbo*, lui-même emprunté à une langue africaine. Le terme désigne à la fois la plante, ses fruits et le fameux ragoût. Cette plante s'est promenée d'Asie en Afrique avant de rejoindre l'Amérique par la voie des esclaves noirs. Les premiers colons français de la Louisiane leur doivent donc leur plat national.

CUISINE DU MONDE

Le samossa

• • •

Collation rassasiante ou repas exotique,
le samossa a tout pour plaire.

En Inde, le samossa est une nourriture de rue très typique. C'est un petit baluchon frit farci de légumes et de pommes de terre; dans le Nord, on y ajoute aussi du bœuf ou de l'agneau. Facile à manger, il se transporte partout et est très soutenant.

Introduit sur le sous-continent indien au Xe siècle par des marchands d'Asie centrale, le samossa est facile à préparer le soir autour du feu, et s'adapte donc bien au mode de vie nomade de ces marchands. La consommation du samossa ne nécessite pas beaucoup de matériel; ni ustensile ni serviette.

Comment le préparer?

La pâte, composée de farine de blé et d'eau, doit être pétrie et laissée au repos durant 25 minutes. Pour préparer la farce, on doit d'abord réchauffer l'huile dans une casserole, puis incorporer les assaisonnements. Par exemple, pour un samossa standard, avec pommes de terre et petits pois, on ajoute des graines de moutarde, des oignons, du gingembre et de l'ail. Pour le rendre plus savoureux et lui donner une texture différente, on peut ajouter du ghee dans la préparation. Le ghee, c'est du beurre qu'on a clarifié, c'est-à-dire duquel on a retiré les particules solides pour ne laisser que les graisses.

Farcir la pâte prend un peu de doigté et de temps. Par conséquent, certains utiliseront de la pâte toute prête afin d'accélérer le processus. Des samossas prêts à consommer se trouvent parfois en épicerie dans le rayon des aliments surgelés, plus fréquemment dans le temps des fêtes.

Lorsque les samossas sont farcis, il ne reste plus qu'à les frire avec de l'huile d'arachide. On peut en déposer 3 à la fois avec 3 cm d'huile dans la casserole, de 3 à 4 minutes. On peut aussi les faire cuire au four, à une température assez élevée (425-450 °F environ). Pour ce type de cuisson, on badigeonne les samossas avec de l'huile afin d'obtenir une pâte suffisamment croustillante.

Les types de samossas varient selon les familles et les régions. Ils sont traditionnellement accompagnés de chutney, une sauce aigre-douce à base de yogourt et d'épices, telles que la menthe, la coriandre ou le tamarin. On les sert aussi avec du thé chai ou avec du lassi, une boisson composée de lait fermenté et aromatisée à la rose, au citron ou à la mangue, par exemple.

Le ghee maison

Facile à préparer à la maison. On met le beurre une minute dans le four à micro-ondes, et les éléments solides et liquides se séparent. On enlève la mousse qui flotte sur le dessus, et ce qui reste, c'est le ghee.

À travers le monde

En Amérique du Sud, on l'appelle *empañada*; en Turquie, *samsa*; au Vietnam, pâté chaud; et en Malaisie, *curry puff.*

Le spéculoos

...

D'origine belge, ce biscuit fait partie de la tradition des fêtes en Europe. Et de plus en plus, sa présence se remarque dans nos épiceries spécialisées.

Le spéculoos est un petit biscuit brun, sec, qui ressemble à un biscuit au gingembre. Il contient de la farine, du beurre, de la cassonade (qui donne à la pâte un côté sablonneux), des œufs et des épices comme la cannelle, le gingembre, la muscade et le clou de girofle. S'il adopte souvent la silhouette d'un saint Nicolas, patron des navigateurs, il peut être aussi moulé sous forme de moulin à vent, d'âne ou de fleur.

Le spéculoos était traditionnellement fabriqué et dégusté à la période de l'Avent et à Noël dans le nord de la France, en Allemagne, en Belgique et en Hollande. On le trouve désormais toute l'année, accompagnant le café dans les bars et les bistrots de ces mêmes pays.

L'origine du nom

L'origine du nom, quoique controversée, proviendrait entre autres du mot latin *speculator* (observateur, surveillant), qui était utilisé pour désigner les évêques; une autre origine serait le mot latin *species,* qui signifie épice. Aujourd'hui, les Français écrivent spéculos; les Belges, spéculaus ou spéculoos.

Au Québec

Le spéculoos a de quoi plaire aux Québécois, friands de cannelle. De rares pâtissiers proposent leur propre version du biscuit, surtout durant le temps des fêtes. Sinon, on peut s'en procurer dans les épiceries fines ou spécialisées; puisqu'ils sont importés, ils sont un peu coûteux.

Cela dit, on peut acheter de la pâte de spéculoos sur le marché. Une pure friandise! Cette tartinade a la même texture que le beurre d'arachides; on en garnit le pain et, si on est vraiment gourmand, les crêpes. Mais avec parcimonie, car la pâte de spéculoos est très calorique, grasse et sucrée…

La dégustation

On peut bien sûr manger ce biscuit tel quel, trempé dans du café ou dans un verre de lait. Mais on peut aussi le réduire en miettes et l'utiliser comme chapelure, à la façon des biscuits Graham, dans une abaisse de tarte aux pommes. Dans ce cas, puisque le spéculoos est épicé, mieux vaut réduire les épices dans la garniture.

Les algues

...

Qu'on les utilise dans la préparation de sushis ou en salade, les algues sont de plus en plus présentes dans nos assiettes. Partons à la découverte de ces trésors de la mer.

Les algues déshydratées et importées d'Asie sont généralement celles qu'on trouve dans nos épiceries. Pourtant, le Canada ne manque pas de ressources, car les algues comestibles sont abondantes sur nos côtes et comptent parmi les mêmes variétés que celles qui sont importées. Certaines épiceries de produits naturels proposent malgré tout des algues récoltées en Gaspésie, dont les feuilles de kombu royal, de wakamé, de dulse et de nori.

La transformation

Au Québec, la cueillette des algues se fait pendant la période allant de la nouvelle lune jusqu'à la pleine lune, au moment où la marée descend à son plus bas niveau. Les algues sont récoltées à la main, un «ruban» à la fois. Elles sont ensuite mises à sécher pendant 24 à 48 heures dans un séchoir à l'air libre, puis emballées sous vide.

Les algues séchées réhydratées à l'eau tiède ont pratiquement le même goût que les algues fraîches.

Quelques idées d'utilisation

Vous pouvez les servir comme légumes d'accompagnement, en les apprêtant de la même façon que les épinards, le brocoli ou le chou.

Les feuilles de **wakamé**, ou alarie, peu iodées, ont bon goût avec les fruits de mer ou dans une salade asiatique, tandis que celles de **kombu royal** (ou laminaire) sont délicieuses en bruschetta ou simplement grillées à sec comme condiment de tous les jours, pour remplacer le sel. La feuille de **nori** fait un excellent *gomasio* (sel de sésame japonais) pour les poissons frais et fumés ainsi que dans les salades. Enfin, l'algue **dulse** (ou main de mer palmée) est succulente dans une chaudrée de fruits de mer, une béchamel nappée sur des pâtes ou servie en chips. En Gaspésie, le sandwich DLT (dulse-laitue-tomate) s'inspire du BLT traditionnel, l'algue remplaçant le bacon. Une chose est sûre, cuisiner avec des algues est une façon nutritive de saler vos plats!

L'argousier

...

Les petits fruits au pouvoir antioxydant ont la cote, les plus connus étant le bleuet, la canneberge et la groseille. Or l'argouse, qui possède les mêmes vertus, est aussi en train de se tailler une place chez nous!

L'argouse, fruit de l'argousier, est une véritable petite bombe santé. Cette baie contient 5 fois plus de vitamine C que le kiwi et 30 fois plus que l'orange; elle est plus riche en vitamine E que le blé ou le soya; elle regorge de composés riches au fort pouvoir antioxydant, d'oméga-7 et d'oméga-3. Pas étonnant que ce fruit attire l'attention des Québécois.

L'argousier (on utilise souvent le nom de la plante pour parler du fruit) figure parmi les 10 aliments les plus tendance. Déjà, au Québec, on le trouve sous différentes formes : congelé, en chutney, en confiture, en vinaigrette, en tisane et dans du chocolat.

La culture de l'argousier

L'argousier est très présent en Russie, ce qui lui vaut son surnom d'ananas de Sibérie. Habitués aux climats nordiques, les plants croissent bien chez nous, au bord de l'eau comme dans les champs, par exemple à Sainte-Anne-de-Beaupré, en face de l'île d'Orléans.

La récolte de l'argousier se fait en août : elle est abondante et d'une grande beauté. D'un jaune orangé, les fruits poussent très serré les uns contre les autres, ce qui attire les regards sur l'arbuste plutôt discret. Mais on ne cueille pas les baies une à une : ce serait beaucoup trop fastidieux, car elles se détachent difficilement de la branche. La seule méthode consiste à couper les branches chargées de fruits et à les congeler aussitôt à -25 °C; les baies se détachent ainsi beaucoup mieux.

Suggestion en cuisine

La saveur de l'argousier est puissante : un mélange de fruit de la passion, d'ananas, d'orange et de citron. Comme ce fruit est acide et amer, il faut le marier avec du sucré. Du miel, par exemple. Ainsi, il accompagne divinement le magret de canard. Saisissez le magret sur ses deux faces et mettez-le au four pendant 10 minutes à 375 °F. Réservez le magret cuit et dégraissez la poêle. Versez-y du miel et déglacez avec du xérès, puis ajoutez un fond de veau et les argousiers; laissez réduire. Il ne reste qu'à saler et poivrer, et à servir avec des légumes.

Les origines

L'industrie de l'argousier a débuté en Russie au cours des années 1940. En Chine, la plante est utilisée depuis des siècles, mais son effervescence commerciale n'a commencé que dans les années 1980. Il y aurait 150 usines de transformation de cette plante en Chine, qui offriraient plus de 200 produits différents.

Un plante bien pratique

Au Canada, les premières semences d'argousier ont été introduites au Manitoba en 1938. L'argousier était surtout utilisé pour constituer des haies brise-vent, pour prévenir l'érosion des sols et pour les revitaliser. Aujourd'hui, on a compris le potentiel de cette plante, et on trouve des plantations commerciales en Saskatchewan et en Colombie-Britannique.

La camerise

...

Un petit fruit nordique qui a tout pour plaire aux amateurs de superfruits fait son apparition sur les étals des marchés publics : la camerise. Découvrons ce cousin du bleuet que les Japonais appellent fruit de la longévité.

La camerise est le fruit du chèvrefeuille bleu. Elle ressemble au bleuet, mais sa forme est plus allongée. Plus juteuse aussi, sa chair est rouge pourpre et contient davantage de vitamines A et C que le bleuet et 20 % plus de composés phénoliques, ce qui lui confère un riche pouvoir antioxydant. Quant à son goût mi-sucré, mi-acidulé, il rappelle à la fois la framboise, le bleuet, la mûre, voire la rhubarbe.

Pour le moment, la présence de la camerise demeure timide, mais tout laisse croire que le marché, toujours à l'affût de superfruits, lui ouvrira ses portes. On doit s'attendre à en trouver sous forme de fruits congelés, de coulis, de jus, de gelées ou de confitures ou dans les yogourts aromatisés, les tisanes, les confiseries.

Sa culture

Le camerisier est un petit arbuste indigène de Sibérie et du Japon. Il mesure moins de deux mètres, mais il a l'avantage d'avoir une croissance rapide. En effet, il donne des fruits environ deux ans après sa plantation. Quatre ans après sa mise en terre, on peut déjà espérer une récolte commerciale!

Atout non négligeable, le plant résiste à des températures allant jusqu'à -47 °C et sa floraison tolère jusqu'à -7 °C. Autre atout intéressant, il est rarement la cible des ravageurs : un plus pour la culture biologique! En ce qui a trait à la récolte, le rendement s'intensifie au fil des années et on peut obtenir entre 1 et 4 kg de fruits par plant. Une fois que l'intérieur des baies arbore une couleur rougeâtre, les fruits sont mûrs. Pour les récolter, rien de plus simple : il suffit de secouer les branches!

Le camerisier a été introduit en Amérique du Nord il y a quelques années seulement. Chez nous, il prend son essor au Saguenay–Lac-Saint-Jean, où la culture de son fruit bénéficie de l'expertise et des infrastructures du bleuet, sans lui nuire. En effet, on cueille la camerise durant la dernière semaine de juin et la première semaine de juillet, ce qui lui donne accès aux usines de transformation et de congélation qui traitent le bleuet.

En cuisine

Les camerises se marient autant aux mets sucrés que salés. On peut les ajouter au yogourt, avec des amandes et des céréales pour un petit-déjeuner rapide et nutritif. Un coulis de camerises rehaussera aussi un dessert. Pour le préparer, on met 250 g (1 ¼ t) de camerises dans une casserole avec 100 g (½ t) de sucre blanc granulé. On laisse cuire à feu doux pendant 20 minutes ou jusqu'à consistance désirée.

Le saviez-vous?

Le mot camerisier vient de la contraction des mots *chamae*, qui signifie au ras du sol, et merisier, parce que ses fruits poussent près du sol comme ceux du merisier.

La chanterelle

. . .

Comment résister à l'appel de la chanterelle, un des champignons les plus connus, les plus faciles à identifier et les plus appréciés du monde? Promenons-nous dans les sous-bois, à la recherche de ce champignon sauvage.

Nos forêts cachent plus d'une vingtaine d'espèces de champignons comestibles, dont une dizaine de grand intérêt culinaire. En tête de liste : la chanterelle, que les Français appellent girolle.

C'est l'un des premiers champignons forestiers comestibles à apparaître dans nos sous-bois l'été. On dit qu'il sent bon, qu'il a bon goût et qu'il est «sociable», car il pousse en groupe. En plus, il est «fidèle», car il repousse plus ou moins au même endroit, d'année en année. C'est d'ailleurs pourquoi les gens gardent leurs talles de champignons très secrètes, allant même jusqu'à les léguer dans leur testament…

Des températures chaudes couplées à de fortes précipitations favorisent d'abondantes récoltes. Une fois les chanterelles repérées, on leur coupe le pied avec un petit couteau propre et bien aiguisé. On les place dans un panier en évitant de trop les empiler.

La chanterelle pousse de juillet à septembre. Comme le cycle des chanterelles s'étale sur 30 jours, on peut visiter une talle plusieurs fois durant l'été, ce qui décuple le plaisir de la cueillette!

MISE EN GARDE

Même si la chanterelle est facile à reconnaître, il existe une espèce toxique qui lui ressemble : le clitocybe lumineux. Il pousse en touffes sur du bois mort, alors que la chanterelle croît directement sur le sol forestier. On peut aussi confondre la chanterelle commune avec le clitocybe orangé, ou fausse chanterelle, mais qui n'est pas toxique. Par sécurité, il vaut mieux se joindre au cercle des mycologues de sa région pour apprendre à les différencier. Ces cercles offrent des cours, des sorties et des sessions d'identification en compagnie de mycologues d'expérience.

En cuisine

On aime ce champignon pour sa texture et sa saveur délicate, mais aussi pour ses grandes qualités nutritives. Il est riche en protéines, en vitamines A et D et en minéraux. Au Québec, les acheteurs de champignons frais sont surtout les restaurateurs.

La chanterelle se cuisine mieux lorsqu'elle est fraîche. Il n'est pas nécessaire de la laver, mais on peut la brosser délicatement pour enlever les résidus de terre. Elle se conserve au frigo pendant une bonne semaine. Il est souvent possible d'en acheter dans les marchés publics auprès de cueilleurs commerciaux.

Pour l'apprêter, on la fait suer à feu doux dans un peu de beurre ou d'huile; on peut la mettre à mijoter dans des ragoûts ou des sauces, ou la rissoler pour en garnir une omelette, des salades ou des risottos. Sa saveur boisée se marie aussi naturellement aux viandes rouges et à la volaille.

Un champignon convoité

Au Québec, on a encore de la méfiance envers les champignons sauvages, contrairement à plusieurs pays d'Europe, où leur cueillette fait partie des habitudes et où on les valorise dans la gastronomie. Leur filière de commercialisation est par ailleurs bien établie et structurée.

Chez nous, le marché des champignons forestiers s'annonce prometteur. D'ici à environ 10 ans, leur incidence économique pourrait se chiffrer à plusieurs dizaines de millions de dollars avec toutes les retombées pour le mycotourisme et la restauration. À l'échelle internationale, la chanterelle est l'espèce la plus transigée, après les *matsutake* et les bolets cèpes.

 Truc de L'épicerie

Grenade délicieuse

La grenade est lourde? C'est qu'elle est bien juteuse! Elle se conserve jusqu'à trois semaines au frigo. Attention, son jus tache aisément. Découpez-la d'abord en quartiers à l'aide d'un très bon couteau sur une surface antidérapante. Pour détacher les arilles, au-dessus d'un saladier rempli d'eau, tapez avec vigueur sur l'écorce avec un ustensile lourd. Une fois dans l'eau, les membranes restantes remonteront à la surface; vous n'aurez qu'à les écumer. Épongées, les arilles se congèlent bien et garnissent joliment une salade de fruits ou un sorbet à la mangue.

La chicoutai et l'airelle

...

Chicoutai et airelle, deux petits fruits de la Côte-Nord dont le pouvoir antioxydant est inestimable. Pas étonnant que certains Européens et les Scandinaves les convoitent... Et on aurait tout intérêt à les découvrir nous-mêmes!

En langue montagnaise, le mot chicouté signifie «de feu»; il désigne la couleur rouge de la baie avant sa maturité, alors qu'elle devient orange. Les Innus en cueillaient de grandes quantités qu'ils mélangeaient à l'huile de phoque; ce rare dessert se conservait plusieurs mois. La chicoutai possède un caractère unique. Au goût, elle fait penser à l'abricot avec des relents de fruit tropical. Son odeur fromagée fait qu'on l'aime ou pas.

L'airelle, aussi appelée graine rouge ou atoca sauvage, est issue de la même famille que la canneberge : elle pousse sur des plateaux arides et résiste bien au froid. En Suède, elle fait partie du menu quotidien. Le goût acidulé de l'airelle se situe entre celui du bleuet et celui de la canneberge.

La chicoutai et l'airelle sont des fruits connus depuis longtemps dans les régions nordiques du globe, notamment en Russie et en Scandinavie, où elles font partie de l'alimentation quotidienne.

Mais ces baies sont encore méconnues chez nous. Pourtant, plusieurs s'entendent pour dire que la culture de petits fruits indigènes aiderait l'économie des régions; d'ailleurs, plusieurs initiatives locales vont en ce sens.

La culture de la chicoutai

On trouve la chicoutai sur la Côte-Nord, dans certaines îles du golfe du Saint-Laurent et dans l'Arctique. L'accès à la cueillette est parfois difficile. La récolte se fait de juin à août. Elle n'est pas facile, car les baies poussent au ras du sol et chaque plant ne fournit qu'un seul fruit. De plus, les fruits sont éparpillés sur de grandes étendues et le cueilleur doit se pencher constamment pour remplir son seau. Par ailleurs, la présence de moustiques et de mouches noires met la patience des cueilleurs à rude épreuve! Les fruits mûrs demeurent fragiles : il n'est pas rare qu'ils se réduisent en compote dans le seau du cueilleur…

L'airelle en cuisine

Sur le marché, on trouve l'airelle sous forme de confiture, de tartinade et de gelée. Remplis de pectine, les fruits entiers s'ajoutent en petite quantité à des fruits qui en sont dépourvus pour raffermir gelées et confitures. L'airelle accompagne aussi les viandes, particulièrement la dinde, les rillettes ou les terrines. Elle se marie très bien avec le pain et le fromage. Elle est aussi apprêtée en tartes, gâteaux, boissons et sauces.

La culture de l'airelle

Elle pousse principalement sur la Côte-Nord, en Gaspésie et aux Îles-de-la-Madeleine. La cueillette se fait à la main en septembre, à genoux, un ou deux fruits à la fois. Le sol étant souvent humide ou même mouillé, il faut porter un pantalon en caoutchouc ou des bottes à jambières pour les cueillir. Airelle et chicoutai poussent dans des environnements très fragiles et les cueilleurs doivent veiller à ne pas abîmer les lieux.

Sur les rives de la rivière Romaine, les Innus «vont aux graines» en famille, en octobre, pour cueillir sur les hauteurs les *uishatshimina*, les «fruits amers». Ils y passent toute la journée. La cueillette de l'airelle est une activité plus populaire que la cueillette des pommes au Québec, car toutes les familles y vont.

Des avantages pour la santé

S'ils sont plus coûteux que les autres petits fruits, sur le plan nutritionnel, ils n'ont pas de prix! Au cours des dernières années, ces petits fruits ont suscité de l'intérêt en raison de leur potentiel thérapeutique. En effet, ils sont très riches en antioxydants et en composés phénoliques, ces éléments qui jouent un grand rôle dans la prévention de certaines maladies cardiovasculaires et de certains cancers. Ils sont aussi très riches en fibres. Leur teneur en glucides est moindre que celle de la majorité des fruits. Ils ont un contenu faible en sodium et élevé en potassium, des éléments chimiques ayant une influence dans la régulation de la pression sanguine.

Où en trouver?

Comme la culture commerciale de la chicoutai et de l'airelle est émergente, il est encore difficile de se procurer des baies fraîches. Par contre, les produits transformés sont vendus dans les épiceries fines de la Côte-Nord, notamment la Maison de la Chicoutai, à Rivière-au-Tonnerre, et à la boutique du Musée régional, à Sept-Îles. Dans les régions de Montréal et de Québec, Le Marché des Saveurs du Québec en offre.

Le maïs lessivé

• • •

Voici un aliment peu connu du grand public, mais présent dans la tradition culinaire québécoise : le maïs lessivé. Il nous vient d'Amérique latine et son origine remonte à plus de 3 000 ans!

Le maïs lessivé est un produit plutôt marginal, offert en conserve. Ce sont de gros grains de maïs jaunes, gonflés et pâteux qu'on trouvait autrefois dans la soupe aux pois de nos grands-mères.

Les grains de ce type de maïs (destiné originellement au bétail) sont très durs, farineux et pas du tout sucrés. Rien à voir avec les succulentes variétés qu'on consomme en épi l'été. Pour le rendre plus digeste, on lui fait subir un procédé visant à le ramollir en faisant tremper les grains séchés dans du lessif, c'est-à-dire de l'eau dans laquelle on ajoute un alcalin : de la chaux, du bicarbonate de soude ou, de façon plus artisanale, de la cendre de bois, comme le faisaient les Amérindiens. Cette cendre, riche en calcium, est un excellent abrasif, tout comme la chaux. Le maïs est ensuite rincé et débarrassé de son enveloppe, et parfois de son germe. L'avantage de ce procédé est également d'améliorer l'assimilation des vitamines et minéraux. Mais aussi, il évite l'étape de trempage des pois ou des grains, ce qui fait gagner beaucoup de temps de préparation.

En cuisine

- Au Mexique, on sert une soupe traditionnelle appelée *pozole*, un bouillon épicé contenant de la viande et où se cachent des grains de maïs lessivé *cacahuacintle*, auquel on ajoute de la laitue, de l'avocat frais, des radis et des oignons. Cette soupe doit être préparée très soigneusement, afin que la viande soit bien cuite et que le maïs soit bien fleuri, c'est-à-dire bien ouvert.

- Les Amérindiens, de leur côté, préparent une soupe appelée sagamité, contenant du maïs lessivé, de la courge, de la viande de gibier et des fèves rouges.

- À la maison, on peut utiliser la technique du lessivage du maïs en ajoutant un peu de bicarbonate de soude à la soupe aux pois, à la crème de maïs ou aux fèves au lard; cela permet de «casser» les grains afin qu'ils ramollissent et que la texture devienne plus crémeuse.

Indispensable aux tortillas

La variété de maïs dont on fait le maïs lessivé est à la base de la cuisine traditionnelle en Amérique du Sud et en Amérique centrale. Le lessivage du grain est une façon ancestrale de le traiter. La pâte et la farine qu'on obtient à partir de ce maïs donnent la *masa*, incontournable pour fabriquer les tortillas.

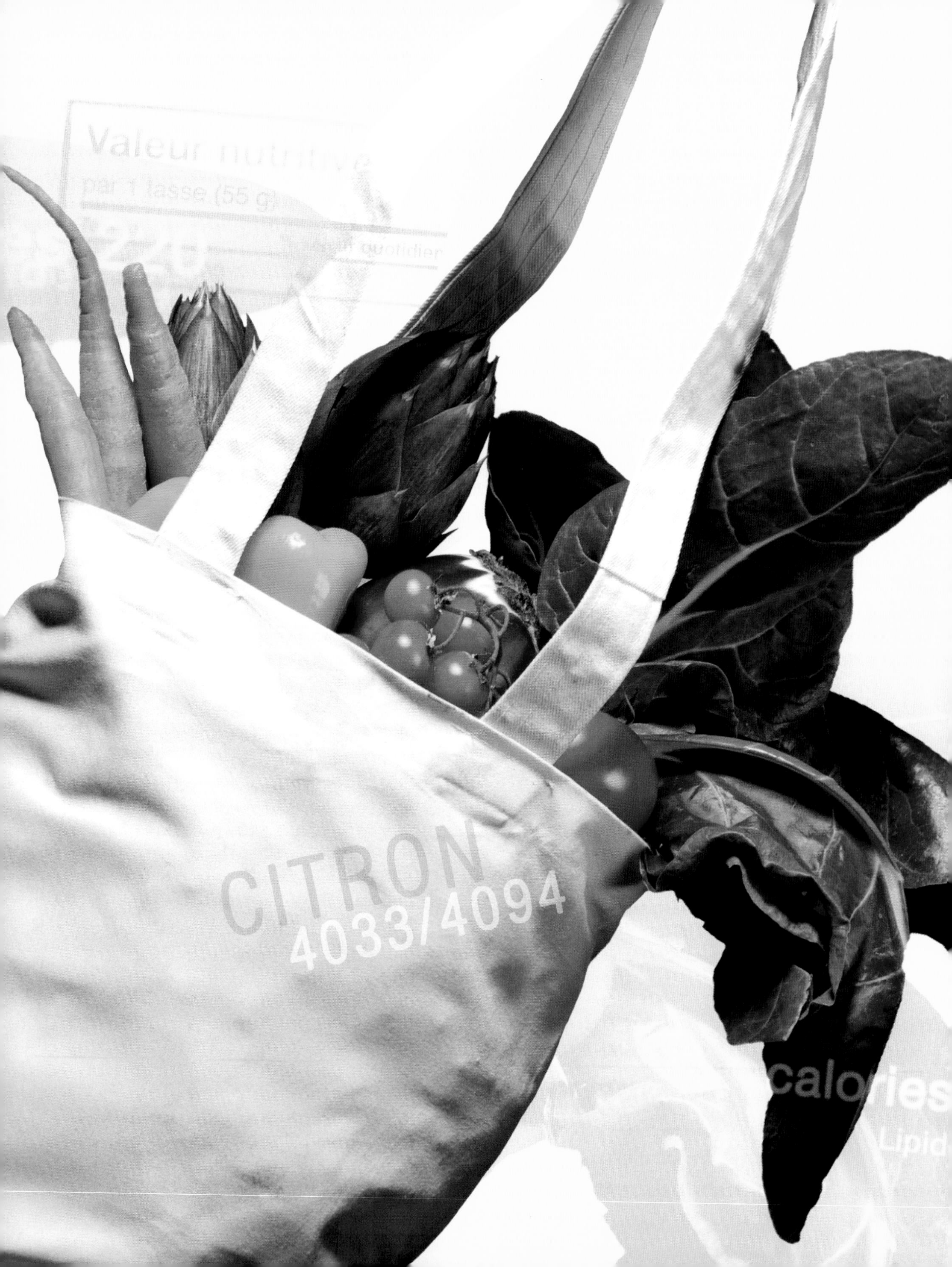
Valeur nutritive
par 1 tasse (55 g)
CITRON
4033/4094
calories

5

Produits vedettes

...

Avocat

L'avocat est bel et bien un fruit, même s'il est souvent considéré comme un légume. Il existe plusieurs variétés et toutes contiennent beaucoup de gras insaturés et une grande quantité de vitamines. Vedette du fameux guacamole mexicain et de la salade de fruits de mer, l'avocat s'apprête aussi bien sucré. À Madagascar ou au Brésil, on le mange en dessert, agrémenté de sucre, de lime ou de citron. Et pourquoi pas l'essayer en salade avec de la mangue et de l'ananas, arrosés d'un filet de rhum? Dès qu'il est souple sous la pression du doigt, mettez-le au frigo pour le conserver plus longtemps. Si, au contraire, vous voulez accélérer le mûrissement, placez-le près des pommes ou des bananes. L'éthylène que dégagent ces fruits l'aidera à mûrir. La variété Lula est ici illustrée.

Cantaloup

Grand favori de l'été, le cantaloup du Québec fait partie de la famille des melons brodés, en raison de son écorce recouverte de lignes sinueuses rappelant une broderie en relief. Il est rond, de taille variable, et sa chair orangée est juteuse et sucrée. Constitué essentiellement d'eau, il est aussi une excellente source de potassium, de fibres, de vitamine C et de carotène. On le mange nature, ou en amuse-gueule : enroulez chaque morceau d'une fine tranche de prosciutto, ou faites des mini-brochettes de féta et cantaloup. Achetez le fruit ferme, lourd et qui sent bon. Une fois ouvert, il se conserve deux ou trois jours au frigo, bien emballé dans une pellicule plastique.

Câpre et câpron

• **Les câpres** sont les boutons floraux du câprier. On les cueille avant la floraison et on les laisse sécher avant de les mettre dans du vinaigre ou de la saumure. Les câpres de bonne qualité sont fermées; leur couleur varie de l'olive au bleu-vert. Compagnes des poissons fumés, elles se cuisinent en tapenades ou s'ajoutent en fin de cuisson dans la sauce bolognaise et sur les pizzas.

• **Les câprons**, eux, sont les fruits immatures du câprier. Remplis de petites graines, ils sont gros, charnus et se reconnaissent à leur longue tige et à leur forme de prune. Leur goût ressemble à celui des câpres. On les mange de la même façon que les câpres. Ils accompagnent le steak tartare.

Cerise de terre

La cerise de terre, aussi appelée groseille du Cap ou «amour en cage», a un goût très fin et délicat, sucré et acidulé à la fois. Elle se savoure nature, dans une salade de fruits ou une salade verte, mais aussi trempée dans le chocolat ou le caramel. Tant qu'elles sont protégées au cœur de leur enveloppe, les cerises de terre peuvent être conservées au frais pendant plusieurs semaines.

Profitez de la belle saison pour faire vos provisions : les cerises de terre se congèlent facilement. Enlevez l'enveloppe des fruits et disposez-les sur une plaque que vous mettrez au congélateur 1 heure avant de les déposer dans un sac hermétique et de les remettre à congeler.

Citron

Le citron, cette petite bombe de vitamine C qui vous arme contre les infections hivernales, peut aussi vous aider à éliminer les excès du temps des fêtes si vous buvez son jus mélangé à de l'eau tiède. Outre le citron classique, voici trois autres variétés surtout offertes en fruiterie :

• **Le citron Meyer**, très sucré et juteux, se mange comme une orange, sans grimace! Il est idéal pour les desserts.

• **Le citron-caviar**, ou *finger lime*, est le fruit d'un buisson épineux qui pousse principalement dans la forêt vierge australienne. Cet agrume a la dimension d'un petit cornichon. Il contient des centaines de délicates perles qui éclatent en bouche et laissent échapper un goût citronné avec une touche de pamplemousse. Ce caviar végétal rehausse tous les plats auxquels on ajoute habituellement du citron ou de la lime. Essayez-le sur un canapé de truite fumée et fromage de chèvre, dans un tartare de saumon ou incorporé à votre cocktail préféré. Le citron-caviar partage avec le vrai caviar sa forme, mais aussi son prix élevé. C'est qu'il est rare et offert de façon très limitée.

• **La main de Bouddha**, pour sa part, est un gros fruit en forme de main. On en fait l'offrande dans les temples bouddhistes et il symbolise la joie, la chance et la longévité. Coupez les doigts en rondelles, avec la peau, et posez-les sur du poisson.

Clémentine

La clémentine, est un hybride entre la mandarine et l'orange amère. Elle aurait été découverte en Algérie en 1900 par le père Clément, d'où son nom. Les clémentines sans feuilles arrivent surtout du Maroc; avec feuilles, elles sont d'Espagne. La présence des feuilles bien vertes sur celles-ci est un indicateur de la fraîcheur des fruits, cueillis à maturité sur l'arbre. Par contre, elles sont environ deux fois plus chères que les clémentines vendues en caisses. On adore les manger nature, mais elles apportent aussi une touche acidulée aux mets salés et sucrés. Elles supportent une cuisson rapide dans une poêle bien chaude, pour les saisir et les caraméliser dans du beurre, avec du sucre ou du miel, par exemple. Conservez-les au réfrigérateur pour les faire durer plus longtemps.

Chou conique

Connaissez-vous ce chou à la tête étrange? C'est le chou dit conique ou pointu. Plus tendre que son cousin le chou vert, il est également plus sucré et moins fort. Il est riche en vitamine C et en minéraux et faible en calories. C'est aussi une très bonne source d'acide folique. Cru ou cuit, il est excellent, mais pour profiter au maximum de ses vitamines, il est préférable de le manger cru. Apprêtez le chou conique comme vous avez l'habitude d'apprêter le chou vert. En salade, farci, ou même braisé avec de la pomme et du cumin. C'est un très bon légume d'accompagnement pour la viande et le poisson. Choisissez un chou lourd, compact et aux feuilles brillantes. Au réfrigérateur, vous pourrez le conserver près de deux semaines.

Crabe des neiges

Au printemps, malgré la glace et le froid, les crabiers du Québec sortent au large pour nous rapporter un grand délice : le crabe des neiges. Difficile à conserver vivant, le crabe se vend généralement cuit et séparé en sections. Que vous le mangiez chaud ou froid, il est plus facile à décortiquer que le homard. D'abord, tournez, puis tirez les pattes pour les détacher. Ensuite, à l'aide d'une bonne paire de ciseaux, découpez les pattes et retirez-en la chair avec une fourchette. Une pince à crustacés sera utile pour casser les pinces et les articulations. Prévoyez deux sections par personne pour un repas. Le crabe des neiges est un produit de luxe, mais tellement savoureux!

Crevette sauvage (Argentine)

La crevette sauvage d'Argentine est une crevette rouge ou rose d'un bon gabarit pêchée dans les eaux du sud-ouest de l'Atlantique. Malgré les apparences, elle est crue. C'est parce qu'elle se nourrit de plancton que sa carapace et sa chair sont d'une aussi belle couleur. Son goût sucré de homard vous surprendra. En cocktail, c'est un succès garanti. Sautée avec un peu d'ail, d'herbes fraîches ou de cari, elle vous procurera beaucoup de plaisir. Malgré sa taille, elle cuit rapidement : 2 minutes à l'eau bouillante ou 3 à 4 minutes à la poêle suffiront à développer son bon goût. Calculer 4 ou 5 crevettes par personne en plat principal. Les crevettes sont faibles en calories et en gras saturés, riches en protéines et contiennent des oméga-3.

Épinard

L'épinard est un trésor de vitamines A, B et K et de minéraux. Il contient aussi du fer, quoique en moindre quantité que ce qu'on a déjà pensé. Comme le fer des végétaux est moins bien assimilé que le fer provenant d'une source animale, il suffit d'ajouter aux épinards des aliments riches en vitamine C, comme des agrumes ou des poivrons. Par exemple, le duo épinards et clémentines fait un mariage délicieux. Avec des noix, du poulet, voilà un repas revigorant. Vous pouvez aussi en garnir un sandwich, une pizza ou une soupe.

Figue

C'est lorsqu'elle est crue que la figue se montre sous son plus beau jour et révèle ses savoureux arômes! Il en existe quelque 750 variétés classées selon leur couleur blanche ou dorée, violette ou noire, rouge ou jaune. La figue fraîche est moelleuse et juteuse, mielleuse et parfumée. Riche en potassium, en fer, en cuivre et en calcium, la figue est une bonne source de minéraux. Sa teneur en fibres est aussi intéressante, mais elle est assez calorique et plutôt généreuse en glucides, avec 20 % de sucre.

Elle accompagne aussi bien les charcuteries et les fromages que la salade de roquette, tomate et noix. La plus facile à trouver à la fin de l'été est la figue noire de Grèce ou de Turquie, mais vous aurez peut-être le bonheur de découvrir la succulente Black Mission, une petite figue noire de Californie.

Figue de Barbarie

La figue de Barbarie, ou fruit du nopal, ou poire cactus, est le fruit d'un cactus très répandu dans les pays chauds. Elle doit être manipulée avec soin, car sa peau est recouverte de petites épines transparentes qu'il faut retirer en les frottant sous l'eau à l'aide d'une brosse ou en enlevant carrément la peau avec un couteau. Les gants sont de rigueur! Sa chair varie de l'orangé au rouge assez foncé, elle est juteuse, légèrement acidulée, sucrée et parfumée.

On la consomme en tranches minces, nature ou arrosées de jus de citron ou de lime. La figue de Barbarie agrémente salades de fruits, de légumes, de poulet ou de crevettes. On peut également faire des confitures et des sorbets avec son jus.

Fraise d'automne

L'automne, c'est le temps des pommes… mais c'est aussi, et de plus en plus, le temps des fraises! Ça fait une vingtaine d'années maintenant qu'on développe des variétés qui atteignent leur maturité avec les premières fraîcheurs automnales. D'août à octobre, à mesure que les journées raccourcissent et que baisse la température, le métabolisme de la fraise d'automne ralentit et son goût sucré devient plus concentré, son rouge plus vif et sa chair plus ferme.

Cette fraise présente l'avantage de produire des fruits de façon continue plutôt que pendant seulement deux semaines, comme c'est le cas de la fraise d'été. Toujours aussi excellente pour faire confitures, tartes ou compotes, elle conclut l'été de belle façon.

Fraise du Québec

Chaque année, c'est toujours un grand plaisir de retrouver la fraise du Québec! Les façons de la déguster ne manquent pas : en mousse, en shortcake, trempée dans de la crème sure ou du yogourt, puis dans la cassonade…

Faites-en aussi un cocktail sans alcool, avec jus de citron, jus de lime, glace concassée et un peu de sucre. Mais la meilleure manière de l'apprécier reste sans doute de la goûter… dans sa plus simple expression.

Haricot blanc

C'est celui qui se cache dans le fameux mets traditionnel de cabane à sucre. On le choisit pour sa saveur délicate: en effet, il acquiert les arômes des aliments en sauce dans lesquels il mijote longuement. Offert en différentes variétés, le haricot blanc est très économique : il fournit rapidement une sensation de satiété. Comme le reste de sa famille, les légumineuses, le haricot blanc est une excellente source de protéines végétales, de fibres et de vitamines. Intégrez-le à votre menu, par exemple en salade avec des herbes et de la vinaigrette. La combinaison sarriette, persil et estragon fait ressortir des saveurs fines, presque sucrées… Si les inconforts intestinaux vous inquiètent, faites-le d'abord tremper pendant 24 heures, ou ajoutez un peu d'épazote, une herbe exotique, à vos recettes.

Homard gaspésien

Reconnu pour sa chair au goût fin et délicat, le homard de la côte atlantique est offert à partir de mai jusqu'à la mi-juillet. Riche en protéines et en minéraux, il se cuit dans une marmite d'eau bouillante salée, environ 8 minutes par 454 g (ou par livre). N'oubliez pas d'enlever les élastiques qui serrent les pinces, sinon la chair du homard risque de goûter le caoutchouc. Si vous n'aimez pas le faire cuire vous-même, achetez-le tout cuit. Pour réaliser la fameuse guédille au homard, ou *lobster roll*, faites griller l'extérieur d'un pain à hot-dog; remplissez-le ensuite de chair de homard mélangée à de la laitue émincée ou du chou râpé, du céleri haché et de la mayonnaise. Un délice! Un spécimen de 454 g donnera environ 200 g de chair une fois décortiqué.

Huître Chiasson

Ce beau mollusque, charnu malgré la petitesse de sa coquille, a un bel équilibre sucré-salé. Les huîtres Chiasson sont issues de la culture sur les fonds, dans la région de Miscou, au nord du Nouveau-Brunswick. Les coquillages sont déposés sur le fond marin, où ils vont croître jusqu'au moment de la récolte, qui se fera à la main. Leur coquille est verdâtre étant donné la présence d'algues marines à l'endroit où elles séjournent. En plus d'être faibles en gras saturés, les huîtres constituent une excellente source de protéines et contiennent des oméga-3. Vous les trouverez plus facilement en poissonnerie qu'en épicerie.

Jacquier

Ce produit vedette a d'abord intrigué un téléspectateur qui voulait en savoir davantage sur le plus gros fruit du monde : le jacquier. On le connaît en anglais sous le nom de jackfruit. Il peut peser entre 1 et 30 kg et ressemble à une grosse patate recouverte d'une peau de reptile allant du vert au brun selon son degré de mûrissement. La chair du fruit mûr ne dégage pas une odeur très agréable : certains disent qu'elle sent le suri. Heureusement, son goût est doux, sucré, semblable à un mélange d'ananas, de mangue et de banane, avec une texture caoutchouteuse. Le jacquier est riche de nombreux minéraux et vitamines, mais certaines variétés contiennent du latex qui rend les fruits collants. Un peu d'huile sur les mains, le couteau et la surface de travail peut vous éviter de rester collé à votre fruit.

Kaki

Le kaki, fruit national du Japon, est plutôt sucré, avec une texture de mangue et un petit goût vanillé. Il pousse sur le plaqueminier, un arbre au bois très dur pouvant atteindre 15 m de haut. Selon les saisons, différentes variétés nous sont proposées. En hiver, les kakis, aussi appelés plaquemines, proviennent principalement d'Espagne.

Bien mûr, le fruit se mange nature, à la cuillère ou tout simplement comme une pomme. Réduit en purée avec un peu de jus de citron, il est délicieux sur de la crème glacée, du gâteau, dans un yogourt ou sur une crêpe. Il accompagne fruits de mer, volaille ou fromage. Le kaki peut être cuit pour en faire une confiture ou une compotée qui, mélangée avec du miel et du vinaigre balsamique, se transforme en condiment. Allié de notre santé, le kaki est un fruit au fort potentiel antioxydant et sa consommation régulière aiderait à abaisser le taux de mauvais cholestérol.

Mâche

Vous pouvez l'appeler blanchette, boursette, clairette, oreillette ou doucette, mais on la connaît surtout sous le nom de mâche. Membre de la famille de la valériane, ce légume présente de tendres feuilles vertes en rosettes. La mâche est vendue en petits bouquets avec ses racines. Moins goûteuse que la roquette ou le cresson, elle a une saveur délicate. Ses feuilles peuvent être mangées crues ou cuites comme des épinards.

Excellente en salade avec de la betterave, des pommes de terre, des foies de volaille, des mangues... La mâche renferme beaucoup de bêta-carotène, un antioxydant qui se transforme en vitamine A dans l'organisme, et elle est une excellente source de fer.

Maïs (Blé d'Inde)

Qui dit maïs dit épluchette de blé d'Inde! Cette tradition remonterait aux Iroquois, qui fêtaient les récoltes avec ce repas convivial. Si vous mangez le maïs bouilli, sachez qu'il existe d'autres façons de le cuisiner. Au barbecue : retirez les feuilles du dessus de l'épi et les cheveux visibles, puis trempez le maïs dans l'eau environ 20 minutes. Cuisez-le directement sur la grille, de 15 à 20 minutes. Pour un repas sur le pouce : enlevez quelques feuilles sur le dessus et cuisez-le dans le micro-ondes, de une minute et demie à deux minutes par épi.

Vous souhaitez le manger autrement qu'avec du beurre et du sel? Pour du maïs à la mexicaine, badigeonnez les épis chauds d'un mélange de mayonnaise, de jus de lime et de poudre de chili. Pour une version sucrée, frottez les épis tout chauds avec un mélange de beurre et de miel. Bonne épluchette!

Manioc

Le manioc, qu'on appelle parfois aussi yuca, est un légume-racine polyvalent et nutritif. Recouvert d'une pelure brunâtre qui lui donne un peu l'allure d'une branche d'arbre, il renferme une chair blanche amidonnée comme la pomme de terre. Pour le consommer, il faut le peler et le cuire jusqu'à tendreté, car sa chair contient de l'acide cyanhydrique, une toxine indigeste. Il y a le manioc doux et le manioc amer. Le manioc doux se mange bouilli ou en purée avec les plats de viande et de légumes. On peut aussi l'ajouter dans les pot-au-feu et les ragoûts. Quant au manioc amer, il est surtout transformé en farine dont on tire des produits dérivés comme le tapioca.

Il est de plus en plus facile de trouver du manioc dans les grandes villes, surtout dans les épiceries ethniques. Choisissez des racines entières, propres, bien fermes et de forme régulière. Si la racine est craquée, cela signifie qu'elle n'est pas de première fraîcheur.

Minikiwi

Le minikiwi, aussi appelé kiwi de Sibérie, se trouve en Asie depuis des millénaires à l'état sauvage. Aujourd'hui, des variétés sont développées pour rendre le fruit plus résistant au transport. Ce petit cousin du kiwi est de la grosseur d'une tomate cerise. Il se différencie par sa taille, mais aussi par sa pelure lisse qu'on mange telle quelle. Avec son goût sucré et une pointe acidulée, on n'en fait qu'une bouchée. Il décore joliment un céviché de pétoncles ou s'insère dans une brochette de fruits trempée dans le chocolat. Entier, il se glisse facilement dans la boîte à lunch pour la collation. C'est une bonne façon d'intégrer plus de fruits variés dans notre alimentation!

Micropousses

Elles sont fraîches, nutritives, colorées, gorgées de saveur, produites au Québec et offertes toute l'année : ce sont les jeunes pousses, ou micropousses, de maïs, de radis et de brocoli, des verdures qui ont tout pour plaire.

Contrairement aux graines germées, dont on consomme à la fois la graine, la racine et le germe, chez les jeunes pousses, on ne consomme que la tige et les feuilles. Leur saveur est aussi plus concentrée, donc plus affirmée. Qu'elles soient douces, épicées ou délicatement parfumées, vous les aimerez dans les salades, les sandwiches, les canapés et les pestos.

Mini-légumes

Ils sont mignons, colorés, doux au goût et riches en vitamines et minéraux. On les récolte à la main quand ils sont de jeunes plants. Leur variété s'étend au fil de la saison, mais au début, ce sont surtout les mini-courgettes, les mini-patates, les mini-carottes et les mini-betteraves du Québec qui sont offertes sur le marché. Lavez-les, mais ne les épluchez pas (sauf les betteraves). Servez-les crus à l'apéritif; leur peau est tendre et digeste.

Pour les mini-betteraves rouges, placez-les debout dans une petite casserole. Mettez de l'eau juste à hauteur des bulbes. Ainsi, les fanes resteront fermes et croquantes. Petit truc : utilisez une pomme de terre pour bien caler vos mini-betteraves pendant la cuisson.

Moule bleue

Les moules bleues sont belles, bonnes et pas chères. Celles qu'on trouve chez nous sont cultivées principalement à l'Île-du-Prince-Édouard. Plus grosses et plus charnues, ces moules sont écologiquement viables. Vous pouvez donc les consommer en toute tranquillité.

On les fait traditionnellement cuire dans un fumet composé de vin blanc, d'oignon et de céleri. Lorsqu'elles commencent à s'ouvrir, après 3 ou 4 minutes, remuez la casserole à plusieurs reprises pour les faire sauter. Jetez celles qui ne sont pas ouvertes après la cuisson ou celles qui ne se ferment pas avant la cuisson.

Excellentes sources d'oméga-3, de vitamine B12 et de minéraux, les moules se conservent quelques jours au réfrigérateur, mais il est préférable de les consommer le jour de leur achat pour être le plus près possible de la date de récolte inscrite sur l'emballage. Un sac d'un kilo nourrit deux personnes.

Navet japonais kabu

Le navet japonais est un charmant légume-racine cultivé au Japon depuis le VIIe siècle sous le nom de *kabu*. Au Québec, il se trouve sur nos tablettes depuis peu; on le vend toute l'année puisqu'il pousse en serre. Il est plus petit, plus rond et plus tendre que nos variétés de navets habituelles. Vous serez charmé par son goût délicat et sucré.

Tout se mange, y compris les feuilles ou les fanes, qu'on prépare comme des épinards. Pas besoin de le peler; tranchez-le tout simplement en lamelles à la mandoline, comme pour faire un carpaccio. À côté, marinez des dés de saumon dans un mélange de sel et de citronnelle, assaisonnez-les avec un peu de vinaigrette au sésame et dressez-les sur les lamelles de *kabu*. C'est divin!

Vous trouverez les navets japonais en bottes dans un sachet que vous placerez dans le bac à légumes du frigo. Ils se conservent pendant près d'un mois, les feuilles, de 10 à 15 jours.

Orange Cara Cara

La sympathique orange Cara Cara fait partie de la famille des navels et a été découverte en 1976 sur un arbre fruitier de la ville de Hacienda Cara Cara, au Venezuela. Comme les oranges navels, elle ne contient pas de pépins. Par contre, sa chair est rose-rouge; c'est le lycopène, un puissant antioxydant de la famille des carotènes, qui lui donne sa belle couleur. De plus, elle est gorgée de vitamine C. Moins acide, plus sucrée et à la saveur plus complexe que les autres oranges navels, elle libère parfois des effluves de canneberge ou de mûre.

Elle est succulente en *smoothie* ou en quartiers dans une fondue au chocolat! Essayez-la aussi en salade composée de pamplemousse, d'orange, d'huile de canola, de gingembre râpé, de menthe fraîche, de jus de lime et d'un soupçon de sel. La Cara Cara se prête également à la cuisson et forme un excellent duo avec le canard, le poulet ou le porc.

Orange sanguine

L'orange sanguine séduit autant par sa saveur sucrée et rafraîchissante que par sa couleur rouge sang, qui provient de pigments végétaux, les anthocyanes, de précieux antioxydants. C'est de février à avril que la saveur de l'orange sanguine est au mieux. Riche en vitamine C et en calcium, elle est depuis toujours cuisinée dans les pays de la Méditerranée. En Espagne, elle accompagne les olives et les oignons dans les salades. Ajoutez des raisins secs à ce mélange, et vous voilà en Afrique du Nord! Comme entrée, faites réduire du jus d'orange sanguine additionné d'un peu de sauce soya et de quelques fines herbes. Réchauffez-y des suprêmes d'orange et nappez le tout sur des asperges poêlées.

Oursin

Le mois de mai arrive avec ce fruit de mer bien curieux : l'oursin. C'est sur la Côte-Nord et en Gaspésie qu'on pêche ce fruit de mer aussi connu sous le nom de châtaigne de mer ou hérisson de mer… et on comprend pourquoi!

Sous des allures de cactus aquatique se cache un mets fin et délicat au goût iodé. Ouvrez l'oursin à l'aide de ciseaux pointus : découpez du centre vers le bord. Retournez l'oursin pour enlever une partie du jus. Le fond de sa coquille est gorgé d'œufs orangés, appelés corail ou gonades. Cru, arrosé de citron ou encore d'huile de noisette, le corail se déguste tel quel. Il est aussi exquis avec des pâtes : faites chauffer de l'huile dans une poêle, ajoutez de l'ail écrasé et du persil, puis le corail des oursins et les pâtes cuites. Mélangez à feu vif quelques secondes. Poivrez et servez. L'oursin est fragile et ne se conserve pas plus de deux jours au frigo.

Pain naan

Le pain naan est de plus en plus populaire sur les tablettes. Longtemps offert uniquement dans les restaurants indiens, il est maintenant commercialisé dans les grandes épiceries. Le naan trouve son origine en Inde et au Pakistan. Dans sa préparation, on ajoute parfois du yogourt ou du lait à la farine de blé entier et à la levure pour lui donner plus de volume. Il est ensuite cuit plaqué sur la paroi intérieure du tandoor, un four creux en forme de jarre.

Dans la cuisine traditionnelle indienne, le naan est incontournable. Il sert de cuillère pour les plats et il est même utilisé pour recueillir la sauce qui reste dans l'assiette. Il peut également tenir lieu de pâte à pizza. Les valeurs nutritives du naan se comparent à celles du pain blanc, mais en plus gras.

Pitaya

La pitaya, ou fruit du dragon, met un peu d'exotisme dans l'assiette en hiver. C'est une variété de cactus qui pousse en Amérique centrale. Celle qu'on nous propose en épicerie est rose à l'extérieur et blanche à l'intérieur, avec une pulpe parsemée de petits grains noirs comestibles et très riches en fibres.

Douce, fraîche, peu prononcée, sa saveur rappelle légèrement celle du lait. Sa texture se rapproche de celle du melon. Il est possible de rehausser le goût délicat de la pitaya en l'arrosant d'un peu de jus de lime. Pour déguster ce fruit, coupez-le en deux et mangez-le tel quel, à la cuillère. Vous pouvez également l'ajouter dans une salade de fruits ou en faire des jus, des sorbets ou encore des confitures.

La pitaya se conserve plusieurs jours au frigo. Il est conseillé de la sortir plus d'une heure avant de la manger.

Pomelo

Le pomelo est un agrume qui se décline en plusieurs variétés; celle qu'on trouve sur nos étals nous arrive de Chine. C'est le pomelo miel.

Même s'il ressemble au pamplemousse, sa forme est un peu plus allongée, comme une poire, et son écorce très épaisse affiche un jaune teinté de vert ou de rose. Sa chair est aussi plus juteuse et plus sucrée, surtout dans le cas du pomelo miel. Comme le pamplemousse, le pomelo est une excellente source de vitamine C.

Soyez à l'affut des pomelos d'Israël et de Californie qui arrivent sur le marché! Assurez-vous que le fruit choisi est lourd et qu'il dégage un beau parfum.

Pomme Pinata

La Pinata est une pomme qui nous vient de l'État de Washington. Développée à partir des cultivars Pinova et Sonata, desquels elle tient son nom, la Pinata est recommandée pour la pomiculture biologique. D'une belle couleur rouge carmin sur fond jaune, elle est mature en septembre-octobre et son goût s'améliore après quelques semaines de stockage pour atteindre sa pleine saveur en avril.

Sa chair blanc jaunâtre est croquante, juteuse, sucrée et rappelle le goût de la Golden avec une petite pointe acidulée qui évoque l'arôme de l'ananas. Elle est délicieuse en collation et sa chair ferme est tout indiquée pour la cuisson, que ce soit dans une croustade, une tarte ou en sauce avec le rôti de porc ou le canard.

Pomme Rosinette

Il y a une petite nouvelle au Québec : la Rosinette, une pomme purement québécoise née d'un croisement entre une variété américaine et un pommier inconnu. Après 20 ans de travail, les premiers pomiculteurs la vendent directement dans leur verger, mais au cours des prochaines années, vous allez voir de plus en plus cette pomme rouge striée sur fond jaune crème, sucrée et fruitée.

Radis japonais (Daïkon)

Ce produit vedette porte plusieurs noms : radis blanc, radis chinois ou *daïkon* en japonais. Ce légume est originaire de la Méditerranée et du Moyen-Orient, mais de la mi-juillet jusqu'à la mi-octobre, ce sont des daïkons cultivés au Québec qu'on trouve sur nos étals. Le daïkon a la peau lisse et la forme d'une grosse carotte. Sa chair est blanche et très juteuse. Son goût de radis est doux et rafraîchissant, et sa texture, croquante. Sa préparation est très simple : épluchez-le et coupez-le en rondelles ou en julienne. Les Japonais le mangent cru, râpé ou en fines rondelles pour agrémenter sashimis et salades. Vous pouvez l'ajouter à un plat sauté à la chinoise ou à un ragoût, mais il perdra sa saveur caractéristique et ressemblera plus à la rabiole. Il est réputé pour faciliter la digestion.

Malgré son apparence, le radis oriental est un légume fragile; il ramollit et s'assèche rapidement. Il se conserve une semaine dans le bac à légumes du réfrigérateur.

Raisin doigt de sorcière

Quand vient le temps des récoltes dans les vignobles viennent aussi les raisins dans nos assiettes! Il en existe une variété très étonnante : les doigts de sorcière. Ce raisin hybride de Californie à la forme étrange est croquant et sucré. Excellent avec les fromages, il risque aussi d'attirer les enfants vers le plateau de fruits.

Les raisins représentent une bonne source de vitamines et de minéraux et contiennent une quantité élevée d'antioxydants, ce qui en fait un aliment bénéfique pour la santé cardiovasculaire. Notez qu'il y a deux fois plus d'antioxydants dans les raisins rouges que dans les raisins verts.

Raisin sec

Le raisin sec se vend partout et en tout temps. Ce concentré de vitamines, de minéraux et de glucides est aussi une source d'énergie idéale pour les sportifs et les athlètes. Sur le marché, on trouve les raisins foncés Thompson et les dorés Sultana. D'autres variétés comme les Corinthe, petits, noirs et légèrement poivrés, ou encore les Smyrne, dorés et moelleux, font notamment le bonheur des pâtissiers. Dégustez-les en collation, mais aussi dans les farces ou dans un couscous.

Tamarillo

Le tamarillo rouge, qu'on appelle aussi tomate en arbre, est un fruit d'une grande beauté. Il est produit principalement par la Colombie, l'Équateur et la Nouvelle-Zélande. Sa chair est acidulée, légèrement sucrée, avec des graines noires. Son goût oscille entre la tomate et le kiwi. Il se consomme aussi bien cru que cuit. Comme sa peau est un peu coriace et parfois amère, il est préférable de le couper en deux et de le manger à la cuillère avec un filet de citron vert. On peut aussi en faire de délicieuses salades de fruits, des confitures, des sorbets, des chutneys, ou encore le boire en jus. Utilisez-le pour remplacer les tranches de tomate dans votre sandwich ou pour décorer un plateau de fromages ou une salade. Le tamarillo rouge est un fruit riche en vitamine C et il se conserve environ une semaine au réfrigérateur.

Tatsoï

Très populaire en Extrême-Orient, le *tatsoï* est un chou de Chine non pommé, aux feuilles foncées épaisses en forme de cuillère. On en voit parfois dans les épiceries asiatiques, mais on trouve surtout des micropousses de *tatsoï,* qui sont cultivées à l'année dans des serres québécoises.

Les micropousses sont tendres et goûtent légèrement le chou. Elles parfument les soupes, les salades, les plats asiatiques et les pâtes alimentaires. Vous pouvez aussi les ajouter hachées finement à de la purée de pommes de terre ou dans des sandwiches. Quelques pousses suffisent à rehausser vos plats.

Tomate Kumato

La Kumato est une charmante petite tomate marron foncé tirant un peu sur le vert doré. Sa couleur étonne de moins en moins, car il y a maintenant des tomates de toutes sortes, la plupart étant des variétés anciennes redécouvertes.

Celle-ci, originaire d'Espagne, a été sélectionnée par des méthodes traditionnelles à partir de plants de tomates sauvages produisant naturellement une tomate foncée. Sa texture est ferme, et sa chair juteuse est très fruitée et plus sucrée que la plupart des tomates rouges. Elle fera un bel effet dans votre salade de bocconcini et basilic. Elle pourra aussi accompagner une délicieuse salade de homard.

Ugli

Connaissez-vous vos agrumes? Par exemple, cette variété de tangelo découverte en Jamaïque au début du XXe siècle et commercialisée entre autres sous le nom de ugli? C'est l'aspect pas très joli de sa pelure épaisse qui lui a valu son nom, *ugly* signifiant laid en anglais. À pleine maturité, les petites taches vertes sur sa pelure deviennent orange.

Excellente source de vitamine C, l'ugli est un croisement entre un pamplemousse et une mandarine; son goût tend à être plus sucré qu'acide. On peut le couper en deux et le manger comme un pamplemousse, ou en quartiers en l'épluchant facilement. Il ajoutera du punch à vos salades de fruits, de légumes ou de fruits de mer.

Il est plus savoureux à température ambiante et vous pourrez le substituer au jus de citron pour donner une touche exotique à vos plats et profiter du même coup de ses pouvoirs antioxydants.

  Truc de L'épicerie

Reste de salade de fruits

La salade de fruits de la veille est si vite défraîchie et moins appétissante. C'est le moment d'en faire un *smoothie* exotique! Réduisez les fruits en purée au mélangeur, puis mouillez avec du jus, de la boisson de soya, du yogourt… ou du soya soyeux. Quelques glaçons, et voilà un *smoothie* sans pareil! Ajoutez-y des flocons d'avoine, du germe de blé et de la graine de lin moulue, vous aurez un petit-déjeuner complet.

Valeur nutritive
par 1 tasse (55 g)
220
quotidien
CITRON
4033/4094
calories
Lipide

...

Table des matières

...

1▶ Aliments

2▶ Consommation

3▶ Santé et nutrition

4▶ Tendances et découvertes

▶ Trucs de l'épicerie

REMERCIEMENTS AUX ARTISANS DE L'ÉPICERIE

Animateurs-journalistes
Johane Despins
Denis Gagné

Réalisatrice-coordonnatrice
Mireille Ledoux

Assistant(e)s à la coordination
Dominique Bernier
Hélène Nepveu
Jean Simard
Isabelle Vallée
Louise Thibault

Journalistes à la recherche
Alexandra Angers
Sylvie Dô
Barbara Ann Gauthier
Émilie Jacob
Andrée Langlois
Gildas Meneu
Caroline Paulhus
Émilie Proulx
Alain Roy
Flore Saget
Cindy Todd

Réalisateurs
Stéphanie Allaire
Éric Barbeau
Christian Blais
Francyne Doyon
Pierre Ducrocq
Lucie Gagnon
Claude Grenier
Marie-Hélène Grenier
Mario Hinse
Kateri Lescop
Carole-Anne Petit
Kathleen Royer
Marie-Eve Thibault
Robert Verge

Rédacteur en chef
Alain Kémeid

Stagiaires à la recherche
Mélanie Bergeron
Pierre-Alexandre Bolduc
Élisabeth Brisset des Nos
Anne-Frédérique Hébert-Dolbec
Bénédicte Filippi

Table des matières